JOURNAL ET SOUVENIRS

1963 – 1964

La préparation de cet ouvrage a été rendue possible par le Centre de recherche en civilisation canadienne-française de l'Université d'Ottawa.

JOURNAL ET SOUVENIRS

1963 – 1964

La préparation de cet ouvrage a été rendue possible par le Centre de recherche en civilisation canadienne-française de l'Université d'Ottawa.

FÉLIX-ANTOINE SAVARD

JOURNAL ET SOUVENIRS
II

1963 – 1964

FIDES
245 est, boulevard Dorchester, Montréal

Le présent ouvrage a bénéficié d'une subvention accordée par le Conseil des Arts du Canada.

Numéro de la fiche de catalogue
de la Centrale des Bibliothèques — CB : 73-11397

ISBN : 0-7755-0547-1

HOMMAGE

Aux révérends Pères Roger Guindon, recteur de l'Université d'Ottawa et Jean-Marie Quirion, doyen de la Faculté des Arts ; au Conseil du Centre de Recherche et à son directeur, l'ami Paul Wyczynski, je dois de reconnaître qu'ils ont été les généreux soutiens de mon travail, et je leur dis ma profonde reconnaissance.

Au R.P. Paul-Aimé Martin, directeur des Éditions Fides, ami et collaborateur de longue date, mes remerciements fraternels.

Nul ne connaît l'âme d'un homme hormis cet homme lui-même. Encore est-il que mille choses de son intérieur échappent à son propre regard et lui demeurent cachées.

Saint Augustin

PRÉFACE

On trouvera, dans ce volume 2, mon Journal abrégé des années 1963 et 1964 ; ensuite de quoi viendront des Souvenirs entremêlés de réflexions sur divers objets. On s'étonnera, sans doute, de l'ordre par endroits fort capricieux qui règne dans mes derniers écrits. Qu'on m'en excuse si je donne ici quelques détails qui expliqueront la marche quotidienne de mon travail.

C'est d'abord le matin que je commence mon journal. Je me sens alors plus dispos, et mes doigts eux-mêmes éprouvent comme un besoin de musarder sur les libres chemins du papier. Je note la température, les humeurs changeantes du ciel, parfois les rêves bizarres de la nuit, et, quand ils me reviennent, les événements de la veille. La tenue de cette prose journalière est parfois négligée ; elle va comme en pantoufles, au petit bonheur la chance.

À la relevée (c'est un mot de paysannerie), s'il fait beau, je sors. J'habite un admirable pays. J'ai beaucoup d'accointances avec les arbres, les fleurs, les oiseaux, les écureuils ; et devant ma maison, il y a ce fleuve mobile et toutes les navigations possibles de l'esprit.

Puis, vient l'heure des brouillons à revoir, corriger, raturer, à mettre au panier, souvent. Les mots sont l'infinie matière de mes doutes. Je pèse, je vérifie, et, sans me lasser jamais, je manie les dictionnaires et remonte aux étymologies. Les écrivains qui ne se soumettent point à cet exercice ou ascèse ignorent ce que renferment de richesses, de finesses, de profondeurs lumineuses et même de joies les trésors de la langue.

Le lecteur qui lit à la volée s'imaginera sans doute qu'un texte grossoyé la veille a dormi paisiblement durant la nuit d'un écrivain. C'est une erreur. En quelque mystérieux coin du cerveau, l'esprit est en veilleuse et travaille. On le constate au matin. Ce phénomène me rappelle le blason des grues. Cependant que, tête sous l'aile, dort le troupeau, l'une d'elles, chargée du guet, tient une pierre dans une patte. Que si cette sentinelle emplumée cédait au sommeil, cette pierre dite pierre de vigilance, tombant, aïe ! aïe ! la réveillerait. Et voilà ! J'aime bien cette grue héraldique. Mon esprit lui ressemble. Il veille, en les corrigeant, sur mes ébauches dormantes.

La correspondance, même la plus agréable, occupe bien des heures. Il y a des réponses qui sont des repos et qu'on aime faire ; mais il en est d'autres qui sont des corvées plutôt pénibles et que, chaque jour, on remet au lendemain.

J'ai écrit un nombre incalculable de lettres. Elles se sont envolées je ne sais plus où, aux quatre coins du pays. Il y a là matière considérable, qui vaut ce qu'elle vaut, mais dont, faute de secrétaire, je n'ai que rarement gardé copie.

Le soir, enfin, lu ou vitement feuilleté le journal, nouvelles écoutées ou vues, lectures sérieuses et prières faites, je rentre paisiblement dans ma solitude et mes jongleries. C'est l'heure du recueillement, du retour vers les vieilles vérités, vers les problèmes que les contingences de l'heure ont soulevés. Et parfois, j'assiste à l'éclosion de poèmes inattendus, pauvres oisillons, la plupart sitôt morts que nés.

Retour, ai-je dit. Vers le passé. C'est le temps habituel d'un vieil homme, le seul dont il puisse disposer et qu'il ne cesse de refaire au gré de sa fantaisie. Et alors, je reprends le cher chemin de ma jeunesse, et souvent celui de mon draveur dans le haut pays des enchantements et de la liberté. Et parfois aussi, j'ai l'impression de remonter à petits pas un très long corridor bordé de portes closes. La plupart, hélas ! sont à jamais fermées ; mais il en est qui s'entr'ouvrent ; et voici qu'apparaissent et me parlent les êtres que j'avais choisis pour compagnons de mon esprit et de mon cœur : vieux sages, saints hommes, poètes, artistes, amis, parents et ces humbles frères : paysans, coureurs-de-bois dont les livres parlent peu et dont j'ai cru bon de dire les vertus.

Enfin, vers les dix heures, je ferme la boutique, regagne ma chambre, et m'endors en murmurant le répons des Complies : *In manus tuas, Domine, commendo spiritum meum...*

Voilà le refuge où je retrouve mon cœur d'enfant et l'abandon d'une confiance que, grâce à Dieu, les idées et tumultes de notre étrange civilisation n'ont jamais pu ébranler.

1963

1er janvier.

C'est le premier jour du mystère renouvelé du temps. Impression d'être au sommet d'un versant d'où je cherche, au loin, dans le vague, les pays indécis de l'avenir.

Je regarde les immenses champs de neige de mon pays, les arbres nus et pareils à de vains signes artificiels, posés sur une terre disparue.

Confiné à mes fenêtres, réduit aux étranges floraisons du givre, mon vocabulaire ne trouve plus à redire que les mêmes mots : c'est blanc ! c'est froid ! cependant que, frileuse et désolée, l'âme murmure : *Mon Dieu !*

2 janvier.

Après les tempêtes qui ont baratté furieusement les jours de la dernière année, c'est, soufflant du sud, un bon vent pitoyable, un vent de repentir, doux comme un espoir et qui, sans m'illusionner, m'attendrit quand même... ou me décongèle...

Une corneille attardée, solitaire, semble croire au printemps sur une glace en dérive.

Un goéland platonicien plane comme un esprit au-dessus du fleuve.

Quelques gros-becs picorent les pommettes que je leur ai laissées comme provisions d'hiver.

Et ma famille de mésanges, enjouées, barrettes en tête, sortant des buissons de la nuit, m'appellent : monseigneur Saindoux...

6 janvier. Les Rois.

Il m'a cheminé dans la tête une sorte de fantaisie poético-verbale. Je voyais le Mot comme un chameau avec ses bosses. Et j'écrivais :

Le Poète, comme un Mage, sur son Mot, va porter sa myrrhe, son or et son encens à la Beauté.

7 janvier.

Des souvenirs me sont revenus d'Espagne. Douce Espagne, violente Espagne, séduisante Espagne ! où sont brassés, dans les chaudrons du soleil, l'amour, le sang, la mort.

Je parlai à Barcelone où l'ami Pierre Deffontaines, géographe et directeur de l'Institut français, m'avait reçu. J'y fus l'invité d'honneur à des danses interprétées non par des danseurs d'opéra, mais par des garçons et des filles de bureau.

Danses profanes, danses religieuses, toutes nées d'un besoin de délivrance et de l'âme elle-même. Je croyais voir dans ce tourbillon de maillots et de volants quelque chose de cosmique où sur l'axe des corps planait harmonieusement le souffle de Dieu.

J'eusse aimé me rendre à Grenade, mais une grève malheureuse m'en empêcha. Je m'en consolai comme je pus en dédiant ce petit poème à Federico Garcia Lorca :

Federico !
en ce meurtrier matin-là de 1936,
dans le ravin de Viznar,
j'aurais voulu te faire un bouclier de mon corps !
Mais tu revis en moi,
ô tragique époux
des noces de sang de la liberté !
Et sur ton nom,
je dépose un bouquet de jasmin
et des aromates de nard et de myrrhe,
ô très cher Federico,
doux rossignol de l'Andalousie !

10 janvier.

Lettre au Père Germain Lemieux, pour l'encourager à poursuivre contre vents et marées son œuvre de folkloriste à Sudbury.

C'est à nos archives de Folklore de Laval que ce jésuite d'espèce rare prit goût aux traditions populaires. Il comprit ce qu'elles pouvaient pour les nôtres dans cette région, cette marche combattante où l'âme française est en danger. Avec peu de moyens, mais avec une ténacité admirable, il a rassemblé une riche collection de chansons et de contes. Honneur à lui !

17 janvier.

Ce concile où siègent les moralistes passés, présents, futurs et... leurs canons, répondra-t-il au peuple chrétien en attente... au bord du chemin qui conduit à l'Évangile ? La question est grave.

Les Apôtres eux-mêmes avaient commencé à faire la police autour du Christ. Mais Lui : « Laissez venir à moi les petits enfants », disait-il.

Ce sont les cordons d'un légalisme excessif que le bon Pape Jean a voulu desserrer.

Souvent me reviennent mes souvenirs de confesseur et de ces longues, exténuantes séances où affluaient les pécheurs, cependant qu'au travers de petites grilles pareilles à des écumoirs, un pauvre homme fatigué, abasourdi, distribuait au mieux qu'il pût les pardons de Dieu.

Un jour, dans une paroisse lointaine, j'étais allé faire la mission de Noël ; et, dans une sacristie exiguë, obscure et surchauffée, je commençai, dès six heures du soir, à entendre les confessions. Tout alla bien jusque vers les dix heures alors qu'une invincible torpeur m'appesantit et me ballotta étrangement entre les péchés, les absolutions et le sommeil.

Enfin, j'allais entendre les derniers pénitents, lorsque, vers les onze heures, des bûcherons venus des alentours envahirent la sacristie. Le gros poêle qu'un grand diable de bedeau ne cessait d'exciter faisait sa chaleur d'enfer ; et bientôt, demi-cuit, je ne distinguai plus que de vagues formes noires encapotées de poil. Le climat sacramentel devenait ainsi de plus en plus surchauffé à mesure qu'approchait la divine Minuit rafraîchissante de pardon, de paix et d'amour.

L'heure liturgique ayant sonné, il me fallut lever pour la messe, et quitter à regret, sans les pouvoir entendre, la plupart de ces braves chrétiens sortis du bois pour s'en venir à la Crèche.

Le souvenir de ces âmes laissées pour compte mais que le Christ avait sûrement pardonnées m'a longtemps poursuivi ; et si j'avais quelque humble voix aux savants chapitres du Concile, je soumettrais ce cas à la lointaine et sacrée Pénitencerie.

« Laissez venir ! N'empêchez pas ! De grâce, laissez passer ! »

Mais pourquoi l'accès à Dieu des enfants des hommes ne serait-il pas élargi maintenant que tant d'obstacles le rendent si difficile ?

20 janvier.

Tempête. Les orgues de la montagne sont en colère. Mais, quand même, je me suis bravement remis en route vers ma Dalle-des-Morts.

Je lis l'*Itinéraire* de l'abbé Belcourt. « Il y avait, écrit-il, dans son Journal, non loin du Portage des Musiques, une caverne qu'on appelait la Porte de l'Enfer, et de là sortaient des plaintes, des gémissements... »

Et donc, bien avant Virgile, Dante et Rodin, nos voyageurs avaient vu cela qui sort d'une tradition vieille comme l'humanité. Les Celtes ont un flamboyant folklore de l'Enfer et du Purgatoire. Saint Patrice et saint Brendam, précurseurs de Dante, parlent d'un *trou* situé quelque part en Irlande, où ils s'introduisent pour... « contempler ! les supplices des pécheurs et en avertir, à leur retour, les vivants menacés ». (Voir *La Grande Clarté du Moyen-Âge,* par Gustave Cohen).

Il me souvient ici d'un voyage de chasse que je fis avec mon père dans cette région de Chicoutimi qu'on appelait alors le Grand-Brûlé. Chemin faisant vers le lac Cami, mon père me montra les ruines d'un vieux camp où, selon dire, Cami le chasseur évoquait le diable. Je ne l'ai point vu. Mais un beau jeune cormier aux fruits ardents se dressait là comme pour illustrer cette rouge légende diabolique.

Aussi, pour apporter deux autres témoignages vécus à cette longue histoire des phénomènes mystérieux que l'homme a sur-naturalisés, je me rappelle qu'un soir, au lac Sotogama, alors qu'au gré de mon canot je me laissais doucement aller à mes jongleries, je vis, à la grande brunante et, de mes yeux bien ouverts, vis surgir des eaux tranquilles, là, devant moi, une grosse boule de feu... Elle s'éleva sans bruit, lentement, puis disparut derrière les montagnes. Apparition fantastique ! On peut imaginer mon émoi devant ce météorite inattendu que la science n'explique encore que fort superficiellement aujourd'hui.

Mais la plus étrange chose et, comment la nommer ? fut cette voix que nous entendîmes un soir, au grand lac de la Descente-des-Femmes, dans le Saguenay.

Mon beau-frère, Pierre Vézina, avait à quelques milles de là, un chalet où j'allais durant l'été de ma cléricature. Ma mère et ma sœur Blanche y venaient ; et vers les belles fins d'après-midi, nous partions, ma sœur et moi, pour ce lac où nous pêchions la truite.

Or, au printemps de l'année 1925, alors que j'étais professeur de rhétorique, à Chicoutimi j'avais monté une sorte de comédie musicale de Charles LeRoy-Villars, intitulée *Le Moulin du chat qui fume.* L'un de mes rhétoriciens, Charles-Arthur Plamondon, y tenait le premier rôle et admirablement. Il y chantait une chanson inconnue dans le pays : « *Ah ! pauvre Nicolet, dans un moulin à vent...* » Ma sœur Blanche avait fort goûté l'interprétation de mon étudiant. Mais, au début de juin, le malheureux jeune homme fut atteint de pneumonie. Je l'assistai à son lit de mort et j'eus beaucoup de peine.

Or est-il qu'un soir de l'été suivant, nous étions, ma sœur et moi, à pêcher la truite au lieu dit Portage à Rousseau. Cet endroit du grand lac était fort éloigné de toute autre présence humaine. Et soudain, dans la montagne d'en face, nous entendîmes une voix qui chanta bien distinctement : *Ah ! pauvre Nicolet, dans un moulin à vent...* Après un moment de stupeur, ma sœur dit : « C'est la chanson, c'est la voix de Plamondon... »

Ce fait troublant mais véridique, m'a mené fort loin dans la voie des hypothèses que nous ouvre le mystère.

Voix de Plamondon ? ou voix du vent dans les feuilles ? Mais tout était si religieusement calme, ce soir-là, dans cette solitude.

Chant de Plamondon ? ou chant d'oiseau-moqueur empruntant les notes de l'homme comme pour duettiser avec lui ? Mais c'était l'heure où les oiseaux, lassés de leurs ailes, sont endormis.

Enfin n'y aurait-il pas, dans les grands bois sauvages, des voix qui nous viennent d'un pays bien au delà de notre petite raison ?

Ou encore, n'y a-t-il pas des souvenirs mélodieux, parfois tragiques, qui, par besoin d'échos, sortent de l'âme humaine et empruntent les voix de la nature ? de ce

... temple où de vivants piliers
Laissent parfois sortir de confuses paroles...

Je ne sais, je ne sais.

Cette nuit-là, nous retournâmes au camp à la lueur d'un flambeau d'écorce qui animait des ombres fantastiques autour de nous... cependant que chantait tristement en nous le *pauvre Nicolet... dans son moulin à vent...*

22 janvier.

Contre notre misérable et brimbalante démocratie sans grande vertu démocratique, sans véritable autorité, sorte de foire d'empoigne, j'ai trouvé ce texte de John Buchan, lord Tweedsmuir, dans *Pilgrim's Way* :

« La démocratie — dans son essence, et distincte de telle ou telle forme de gouvernement démocratique — était à l'origine une attitude d'esprit, un testament spirituel et non pas une structure économique ou un mécanisme politique. Le testament impliquait certains articles de foi fondamentaux : le caractère sacro-saint de la personne humaine ; la libre discussion comme base de toute solution politique ; le devoir, pour la minorité, de s'incliner devant la majorité et, pour celle-ci, en retour, le devoir de respecter les principes sacrés de la minorité ».

31 janvier.

Je suis embarqué dans ce que Groulx appelle *Notre Grande Aventure,* sur les rivières, les lacs, parmi les bois de mon pays. J'arriverai bientôt devant la grande Ile royale et à Kaministiquia ; et le cœur me bat fort. Que tout cela me semble hardi et beau ! Combien m'enchante ce voyage qui participe de l'histoire et un peu d'une sorte de chasse-galerie de la mémoire !

Si je ne l'écrivais pas, mon canot, mes bras, mon aviron la chanteraient cette épopée virile et poétique des nôtres.

Aussi, par moments, un peu triste, déçu, songeur, je pense à cette tragédie *Les Acadiennes* que le Conseil des Arts n'a point daigné considérer. Le sujet, dégagé de toute violence historique, m'apparaissait très grand ; et même si les circonstances étaient du passé, ce drame, où revenait, comme un leitmotiv, la plainte tragique des exilés et qu'animait la tendresse humaine, était de tous les temps et même du nôtre d'aujourd'hui.

J'ai récemment écrit sur le théâtre, tel que je le conçois, un texte qu'on trouvera à la page soixante-treize de ce livre.

Mais, le relisant, je constate que j'ai oublié de dire que les légendes indiennes de notre pays pourraient être de très riches sources d'inspiration ; et encore, que dans certains nôs japonais, ceux de Zéami surtout que j'avais expliqués à mes étudiants, j'avais trouvé des modèles d'un théâtre très simple mais intensément poétique.

3 février.

Il y a des jours où l'on serait tenté de fuir loin de son pays. Et puis, l'amour nous y ramène, cet amour viscéral qui s'appelle l'amour quand-même.

4 février.

Froid noir ! Lequel, malgré le chauffage intense, c'est à peine s'il nous rend la maison habitable. Mais les pauvres, eux ? Mais ces petits oiseaux blancs que j'ai vus et qui ressemblaient à des mottes de neige avec des ailes ? Ils me font honte ; ils me donnent mauvaise conscience. Et je voudrais vêtir, réchauffer, nourrir tous les pauvres du monde et même ces petits oiseaux, ces mésanges qui, dès l'aube, sortent des nuits glaciales, volettent autour de ma maison et me parlent. Il n'y a rien, dans le cœur de l'homme, de plus grand, de plus divin que la pitié. Mais il en est une hautaine, et qui ne mérite pas ce nom de pitié dont l'origine religieuse se retrouve dans piété. La vraie pitié est une sorte de don de Dieu. Elle est faite de tendresse, de douleur, d'humilité, d'un besoin fraternel de partage. Relire la parabole du bon Samaritain et du Lévite. Le Christ du Jugement est un Dieu qui, j'aime à le croire, jugera au nom de la juste Pitié.

9 février.

On a dit de *Menaud* que c'était un roman-poème. Et me voici comme assis entre deux chaises. Peu m'en chaut !

Le créateur n'est pas un photographe. Il aime à s'enfoncer au delà des images, dans la profondeur de la réalité. C'est là qu'est le secret de l'art. Il en sort, peintre, musicien, poète, avec des œuvres dont les idées sont empruntées à la nature, mais qu'il a transformées au gré de son génie. Les œuvres authentiques de l'art humain portent le sceau de ressemblance de celui qui les a créées.

La science, l'histoire et tout ce qu'on appelle documents sont indispensables à la vie de l'art. Il faut que, sous peine de s'évaporer dans l'éther, l'intelligence, elle aussi, boive et mange ; et je plains ceux qui sont au régime des abstractions. Mais, alors même que le véritable artiste chemine péniblement dans le concret, il a reçu, comme un don, une sorte d'instinct qui le pousse et guide vers son but. Tout cela demeure fort mystérieux, et l'artiste lui-même ne saurait l'expliquer.

16 février.

Un peu moins froid. Hier, splendide coucher de soleil. Tout le champ de glace sur le fleuve, toute la neige s'étaient changés en bref jardin de roses. Puis, a succédé l'heure bleue. Les palettes de l'hiver sont d'une incroyable richesse.

Je corrige les épreuves d'une réédition du *Barachois* pour cette collection du Nénuphar que Luc et moi avions suggéré à Fides de lancer. Le peintre André Morency en a dessiné la couverture. Il avait déjà fait pour *l'Abatis* de beaux dessins blancs et noirs. Une traduction anglaise de quelques poèmes a été faite par Kenneth Johnson. Elle mériterait, ce me semble, d'être publiée.

20 février.

À propos du Notre Père : *Ne nos inducas in tentationem.* Les Anglais disent : *Lead us not into temptation.* Je n'aime point ces traductions. Le latin *inducere* qui signifie *conduire vers, conduire en ou dans* est, pour moi, une offense à la paternité de Dieu. Comme si Dieu qui sait notre faiblesse se plaisait à nous conduire dans les sentiers du mal ; comme s'il se faisait le complice du Tentateur !

Les textes primitifs emploient un mode qui n'existe que dans les langues proches-orientales de l'époque : le permissif qui signifie : ne permettez pas que...

Je dirai donc, désormais, à notre Père : « Ne nous laisse pas succomber sous l'épreuve ». Ou mieux, peut-être : « Ne permets pas que nous succombions sous l'épreuve. »

Et encore : à propos de cet acte d'humilité tel que nous le récitions autrefois : *Apprenez-moi à me mépriser moi-même. Mépriser,* c'est juger qu'un être est de mauvais prix. Or l'homme ne doit pas s'estimer comme un être de vil prix. J'ai soumis le cas à l'ami Charles De Koninck, et nous avons changé la formule dépréciative en celle-ci : *Apprenez-moi à mépriser en moi-même tout ce qui n'est pas conforme à votre sainte volonté...* Et la grandeur de l'âme humaine, chef-d'œuvre de Dieu, est ainsi respectée.

21 février.

Poudrerie ou les neiges ballerines.

Je suis dans le *Romancero acadien* de l'ami, docteur Dominique Gauthier. Le relevé des bobines a été plus ou moins bien fait par des tâcherons. Mais c'est avec une savante et consciencieuse précision que Roger Matton en écrit la musique où nos chanteurs ont des finesses bien difficiles à noter. S'il se termine un jour... ce chansonnier sera un modèle du genre.

2 mars.

Au cours de ce journal, j'éprouve parfois le sentiment pénible de l'inutilité de mon travail. Pourquoi écrire ? Pour qui écrire ? Mes idées ne sont plus de mode. La cité de mes pères est assaillie de toutes parts. C'est, chaque jour, le triste vers de T. S. Eliot qui me revient. Je suis :

... a dull head amongst windy places...

Mais, quand même, je ne puis empêcher cette dernière plume de marcher. Chaque matin, quelque temps qu'il fasse sur mes vieilles épaules, je sens le besoin de la tenir, cette plume, entre le pouce et l'index, et d'aller ainsi avec des mots dans le sentier rétrograde de mes souvenirs, conscient que je suis d'une immense injustice qui pèse lourd sur nos morts.

« Mets tes mains dans les vieilles roulières », m'avait dit mon père. Et il y a ce Moïse de la longue marche de quarante ans dans le désert et qui me dit comme aux Hébreux : « *Interroga patres tuos et dicent tibi !* » Ce qui me réconforte, c'est de penser que quelques jeunes, cherchant des raisons de vivre et trouvant ce journal, y rencontreront — qui affleure partout le saint nom de Dieu.

6 mars.

Début de tempête. Je me replie, et réfléchis sur les langues. Chacune a ses subtilités psychologiques. Les mots expriment des attitudes devant les êtres ; et chaque peuple a les siennes. Mais il faudrait être — ce que je ne suis pas — une sorte de parfait linguiste universel pour analyser ces choses, surtout celles qui révèlent le profond fond de l'homme s'interrogeant sur les êtres, sur l'Être.

Qu'est-ce que l'être ? se demandaient Platon, Aristote. Τι το εστιν ; voilà la grande question.

Ce matin, je réfléchis sur le *me miseret* latin. Bon gré, mal gré que j'en aie, la misère est entrée en moi. Je ne puis m'en défaire. Elle me tient : *miseria tenet me.*

Toute la langue est ainsi riche de finesses ; et le pauvre écrivain, lui, s'en va sur la sienne comme en d'étroits souliers pleins de scrupules : petits cailloux, pierres pointues.

8 mars.

Dans cet immense et compliqué Canada, nous sommes encore bien loin, les uns des autres ; et chacune des races, repliée sur elle-même, cultive jalousement sa différence et la revendique souvent sans égard pour les autres. Alors qu'il faudrait fraternellement et en justice, partager les richesses culturelles que nous avons héritées...

Ma grand-mère maternelle, Mary-Ann O'Neill, enseigna l'anglais à Chicoutimi ; mais je n'ai point appris à bien parler cette langue et je le regrette aujourd'hui. J'ai passé ma jeunesse dans un royaume isolé. Habitait, tout près de chez moi, une famille anglaise ! les Sweezy. Elle était fort polie ; et même qu'une toute jeune fille me plaisait beaucoup. Mais les contacts se bornaient à de simples saluts. Et il en allait de même avec les Juifs, les Dinovitzer, les Mendelker et autres. Marchands ou ramasseurs de ferrailles, de vieux cuivre, ils étaient pacifiques, honnêtes, travailleurs. Si j'avais mieux connu, par la Bible, l'héritage sacré qu'ils conservaient, je me serais rapproché d'eux. Il m'arrive aujourd'hui de répéter la parole de saint Paul : *Hebraei sunt et ego.*

Quelques fois, je suis allé à la Synagogue où j'étais fraternellement reçu. Le chant du Cantor m'impressionnait beaucoup. Les Lamentations de Jérémie sont les plaintes les plus tragiques de l'âme humaine. Et quelle musique ! Parfois, je recoiffe mon calot rabbinique pour réentendre tout cela.

17 mars.

Je bourlingue dans un discours qu'on m'a demandé.

Entre-temps, me tourmente cette ébauche de poème venu je ne sais d'où. Il pourrait faire une chanson, peut-être. Voici :

Et c'est la pauvre mère avec ses chers petits,
voyant son dernier pain,
la pauvre mère qui dit :
« Je n'en ai pas assez ! »

... Et c'est le pauvre gueux avec sa gueuserie,
comptant ses derniers sous,
le pauvre gueux qui dit :
« Je n'en ai pas assez ! »

... Et c'est le pauvre cœur et sa mélancolie,
sentant ses jours passer,
le pauvre cœur qui dit :
« Je n'en ai pas assez ! »

20 mai.

J'ai vu le soleil du printemps se lever. Je l'ai regardé avec joie, sortant de l'eau comme soutenu par les montagnes. Et ce spectacle de résurgence m'a rappelé un admirable bas-relief grec du Ve siècle : la naissance d'Aphrodite. Puis, le soleil m'a parlé ; il m'a dit : « J'aime bien la lune. Elle est mon très fidèle miroir. Mais je la trouve un peu vieille, boutonneuse et passive. Tandis que la terre, elle, toute vivante, est bien sensible à mes attentions. Elle m'est une sorte d'épouse. Des peuples m'ont divinisé, même adoré. Il est bien évident qu'ils n'ont point lu la Bible où se peut trouver mon acte de naissance. Il est aussi question de moi dans les psaumes d'un certain roi David. Mais le cantique qui m'a fait le plus grand plaisir est celui d'un pauvre et humble moine d'Assise :

Laudato si, mi Signore, cum tutte le tue creature,
Spezialmente messer lo fratre Sole...
« *Mon frère, le Soleil !* Que cette parenté-là me touche !

À vrai dire, je me sens bien un peu de la grande famille humaine, du moins par mes rayons... Surtout quand je reviens d'un si long hiver et ramène le printemps. »

22 mai.

La forêt de Charlevoix sera désormais ouverte aux jeunes. Toute précaution étant prise. Lors d'une récente réunion au bureau de la Compagnie Donohue Frères, je fus invité à présenter une demande des Clubs 4-H. Elle fut agréée de bon cœur. Ces sociétés de jeunes, celles des Scouts et des

Jeunes Naturalistes sont sérieuses. Elles intéressent l'avenir et méritent d'être encouragées.

27 mai.

Soleil. Après une nuit fraîche. Beaucoup d'oiseaux se sont levés avant moi et j'ai honte.

On annonce que Jean XXIII est mourant. On le regrettera longtemps. Ce pape-paysan était le pasteur du *alias oves habeo*. Ce qu'il a dû souffrir au milieu des dicastères et des chancelleries ! Après lui, la Papauté ne pourra plus être ce qu'elle était avant lui. Il fut le grand Pape, souriant et débonnaire, de la paternelle Encyclique *Pacem in terris*.

1er juin.

Je suis aller rôder sur les hauts. Il y eut, dans ce Charlevoix aux formes tourmentées, d'inimaginables bouleversements. Ici et là, affleurent des rochers granitiques et des massifs ou bancs de calcaire à plans verticaux. Le tout, entrecoupé de profondes cassures qui, marquant les cicatrices de l'écorce terrestre, expliquent, peut-être, les petites mais fréquentes secousses sismiques de notre région.

Je cherchais, ces jours-ci, une veine de pegmatites, mais ne suis revenu qu'avec un bouquet de châtons de saule. Je ne suis, hélas, qu'un pur et malheureux ignorant en minéralogie et en toutes ces sciences que, de mon temps, on appelait *petites,* au Collège. Mais mon imagination fait quand même des sondages. Elle a son trépan et, sous les croûtes calcaires des grèves, j'ai cru, parfois, déceler des gisements d'hydrocarbures. J'aime quand même ce sol qui frémit et travaille sous la poussée... peut-être... de gaz extrêmement violents. Mais j'erre ici dans les superficielles hypothèses de mon ignorance.

Un groupe de jeunes est venu, récemment, me voir. Et après maints propos faciles sur la poésie et les traditions qu'ils ont pieusement enregistrés, je leur ai dit que j'aimerais bien prévoir parmi eux une bonne proportion de savants ; et leurs magnétophones ont été interloqués.

2 juin.

Et ce matin, mais devant une audience imaginaire, je disais à mes jeunes compatriotes : Ce qu'il nous faut aujourd'hui, ce sont des équipes dûment instruites de chercheurs. Et avant tout, des chercheurs spécialisés dans les sciences de la terre, de notre terre, d'abord. Et c'est ici qu'il faut maintenir entre les sciences pures et les sciences appliquées des relations étroites.

Et cela aboutissait à une sorte de sermon : « Il faut chanter, bien sûr, et même, écrire des poèmes, et publier des disques dont le commerce est d'ailleurs un élément fort appréciable d'inspiration... Mais je m'inquiète de voir tant de jeunes fainéants, flemmarder, se dorer le poil et la peau au soleil des prébendes gouvernementales. »

Et, pour appuyer mes propos de vieil homme « sentant la mort prochaine », je leur citais *Le Laboureur et ses enfants.* La sagesse parle là toute pure :

«... *Gardez-vous, leur dit-il, de vendre l'héritage*
Que nous ont laissé nos parents :
Un trésor est caché dedans...
Remuez votre champ...
Creusez, fouillez, bêchez ; ne laissez nulle place
Où la main ne passe et repasse. »

Enfin et pour résumer ces très judicieux conseils du Bonhomme, je priais mes jeunes de graver pour toujours en leur cœur cette morale qui résume toutes les lois de l'économie :

Travaillez, prenez de la peine :
C'est le fonds qui manque le moins.

8 juin.

Visite de Pierre Perrault qui me présente son dernier-né : *Toutes Isles* où, feuilletant, j'ai trouvé des choses qui lui auraient été inspirées par ma *Lettre à un ami sur les Relations de Cartier,* in *L'Abatis.*

Ces pages m'ont rappelé le voyage qu'en 1939 j'avais fait au Labrador avec le député-médecin Arthur Leclerc. J'ai retrouvé des notes hélas ! trop brèves que j'avais prises au cours de cette expédition.

Cette Côte Nord : 900 milles de longueur, de Québec à Blanc-Sablon, c'est un pays à nous, mais que nous ne connaissons guère ; un long pays isolé durant l'hiver, relié au monde des hommes par un tout petit fil télégraphique. On peut imaginer les signes de détresse pianotés sur ce clic-clac et tout ce que le sec alphabet morse a pu transmettre aux lointaines et sèches autorités du Québec : les urgences, les tragédies, les vains appels au secours. Pour les interminables mois d'hiver, les communications se faisaient par traîneaux à chiens, les *cométiques,* comme on les appelait. Et « hoc ! hoc ! ra ! ra ! c'est-à-dire : hue ! dia ! parmi les glaces traîtresses, sur les baies où beaucoup de pauvres êtres humains ont péri.

•

C'est le Sable I qui nous amène au Havre Saint-Pierre. Ce navire est une sorte de cagibi où, parmi les caisses, à fond de cale, je découvre quelques douzaines de bûcherons, pauvrement vêtus, qui s'en vont travailler dans les chantiers. Un violoneux racle ses cordes tandis qu'un danseur bat des pieds et des bras comme s'il voulait s'envoler.

Je les écoute et regarde. Et tandis que va cet étrange bateau, et que clapote à tribord une vague hostile et couverte des brumes de la mer et du destin, je suis battu par toutes sortes de pensées et de sentiments. Je suis tout près de ces pauvres et trop loin d'eux aussi ; et mes vains mots d'un autre monde n'arrivent pas à les rejoindre. Le confort, ses aises et douilletteries prennent chez moi un visage sévère qui m'effraie.

•

Au Havre-Saint-Pierre, nous nous embarquons sur un yacht affecté aux patrouilles du gouvernement.

Je salue l'héroïque mémoire de Louis Jolliet, explorateur, découvreur du Mississipi, hydrographe royal, seigneur d'Anticosti, mort quelque part dans les îles de la Minganie et inhumé on ne sait où.

Le vent est froid et jette des brumes au-dessus desquelles, par endroits, paraissent de ces éclaircies que nos Acadiens appellent des mange-brumes.

Et ce sont les postes qui défilent : Natashquan, Kégaska aux belles barques, le Ouapitagone, le Jupitagone, le Rigolet de Saint-Augustin où des centaines et des centaines d'îlots donnent l'impression d'un continent qui s'émiette. Çà et là, sont de petites cabanes de pêche, et frileusement blottis dans les recoins de la côte, quelques villages.

•

Nous faisons escale un peu partout. L'accueil se fait selon un rite assez émouvant d'amitié : salves de fusils ornés de rubans multicolores et cadeaux de poisson. Notre cuisinier, le Père Jomphe est un acadien. J'aime causer avec lui. Sa langue est savoureuse et assaisonnée de fines reparties. Il a connu toutes sortes de misères, affronté les plus dures traverses. La vie a dégradé son visage qui ressemble à ces vieux bois de quai ridés et tannés par les pluies, les neiges, les vents.

•

J'ai apporté *Le Saint-Laurent et ses Iles*. C'est un livre bien incomplet mais plein de renseignements. Damase Potvin eut l'intuition des grands sujets. Mais il est aujourd'hui négligé. Injustement d'ailleurs. Car il était un esprit très curieux. Il a fouillé les archives, rassemblé dans ses œuvres beaucoup de noms, de détails historiques qui sont fort intéressants, même si l'exactitude est parfois douteuse. À quand donc, une série d'études scientifiques sur cette côte dont les richesses naturelles et humaines, dont l'histoire faite de souffrances, de sacrifices et de tragédies mériteraient l'attention de nos jeunes chercheurs ? J'ai parfois l'impression que nous sommes recroquevillés dans nos villes, que nous n'avons plus l'haleine de nos ancêtres et que le confort nous a rendus frileux. Aurions-nous aujourd'hui ce qu'on appelait de mon temps « l'esprit de barreau de chaise » ?

•

Dans ce havre de Shecatica ou havre Jacques-Cartier : fiord profond, admirable, où la mer se repose de ses violences, nous parlons des problèmes de cette côte. Mon ami Leclerc est un peu, comme moi-même, une sorte de passionné naturaliste amateur. Et tandis que nous mangeons des pétoncles, nous bavardons sur les immenses ressources — inexploitées — de cet immense pays : puissantes rivières à harnacher ; pêcheries à organiser : elles pourraient nourrir le Québec au moins deux fois par semaine ; abondance de poissons : flétan, morue, saumon, truite, hareng, homard, et j'allais oublier les loups-marins qu'on voit partout se dandinant sur les îles ; gibier de poil et de plume... Et au delà de cette frange côtière déjà si riche, tout cet incommensurable pays de l'intérieur avec ses forêts, ses mines, ses milliers et milliers de lacs dont l'eau pure sera peut-être un jour désirée, convoitée par les peuples du sud dangereusement pollués et assoiffés.

•

Et par moments, je pense aussi que l'Homère de l'*Odyssée* eût aimé cette côte épique où il eût trouvé une saga faite de légendes, de poésie, animée par des héros obscurs parmi les labeurs, les souffrances, les naufrages de ce noble peuple de la mer et des îles.

•

À Blanc-Sablon, entretemps que je fais ma mission de prêtre, assis sur les rochers rouges, je regarde avec mélancolie les nausicaas aux corps dorés s'ébattre dans des eaux d'émeraude ; et parmi les vagues brumes du désir, j'entrevois d'humbles Pénélopes renouant avec patience les fils du destin de ce grand et mystérieux Labrador aux multiples Ithaques.

11 juin.

Je lis ces notes discursives et les trouve bien maigres. Les futurs et très souhaitables chercheurs pourront s'aiguiser l'appétit en lisant Potvin, Huard, Puyjalon, Comeau et les relations des missionnaires et cette savante monographie de l'île d'Anticosti par J.-B.-Joseph Schmith, etc., etc.

Avant de remettre ce manuscrit à mes éditeurs, il est juste de souligner les recherches minutieuses que l'abbé René Lévesque a faites sur l'île du Havre de Mingan pour y trouver la tombe de Louis Jolliet ; et aussi, les remarquables travaux de Mgr René Bélanger sur la Côte nord.

Une bibliographie est donc à faire qui révélerait bien des choses. Puis, de là, il faudrait que des jeunes bien formés, équipés de tous les moyens modernes, partent bravement à toute recherche. Les progrès économiques ne vont pas sans une connaissance progressive, laquelle n'est pas comme un aliment en conserve, mais se gagne le plus souvent à la sueur du front.

Tandis que nos puissants voisins ont les yeux sur nos richesses et tireront gras profit de notre absence, toutes sortes de craintes, d'espoirs me viennent comme... ces maquereaux bleus et argentés que je voyais autour de moi frisottant les eaux de notre lointain et solitaire Jupitagone.

12 juin.

Le vent du jour est mort sur l'eau. Le soir est pur et calme. Et sur la tête d'un cèdre, un pinson chante ses amours.

13 juin.

Finie enfin la corvée du discours pour monsieur X. J'ai la tête lourde, vide plutôt. Mais vive un certain vide qui se fait parfois dans l'esprit ! La place est nettoyée. *Tabula rasa !* Vers les trois heures, des oiseaux ont chanté les antiennes du vrai printemps.

J'ai ébauché pour nos scouts et les réunions du soir un programme : sciences naturelles ; traditions et histoire ; industrie indispensable à l'économie, mais maintenue dans un équilibre naturel fait de science, de recherche et de respect ; et enfin, caractère sacré de la nature. Tout ce rituel finissant par une promesse d'honneur et par une prière.

17 juin.

Fêtes du Tricentenaire du Séminaire de Québec. Grand chœur et orchestre dirigé par Françoys Bernier. Le concert aura lieu dans cette cour intérieure qui contient dans ses murs quelques-uns des plus beaux souvenirs de notre âme française.

18 juin.

Le concert d'hier soir fut bien émouvant. Certains thèmes tels que *La belle est en prison d'amour* de notre cher Ben Benoît de Tracadie, et ce passage puissamment orchestré d'une chanson de coureur-de-bois : *Le vent du Nord m'appelle* m'ont rappelé de bien beaux moments. Rien de supérieur, en musique, en lyrisme, n'a jamais été écrit dans notre Québec. On reviendra toujours à cette *Escaouette* magistrale. Je l'ai dit à l'auteur, Roger Matton.

•

Il y a des soirs — hélas trop rares — où notre unanimité se refait. Mais la grande musique a, seule, cette vertu de rassembler les âmes dans un lieu de mémoire, pur de chamailleries et de contestations.

Le malheur est qu'on ne croie plus guère à ce que vaut, pour nous purifier, pour nous élever, pour nous unir, la puissance de la beauté.

•

J'ose avancer ici, avec bien d'autres chrétiens, que l'abandon du chant grégorien et de toute la musique sacrée traditionnelle est une sorte de crime contre la religion, contre la culture, contre la Beauté.

On semble ne plus comprendre que le peuple a plus que jamais besoin de cette sainte, de cette profonde et belle musique qui, jadis, se changeait en ailes de prière et transportait les âmes et les sens eux-mêmes au-dessus du terre-à-terre de la vie quotidienne.

Sans doute que nos petites paroisses ne peuvent avoir de grandes chorales et des organistes professionnels. Mais il y a des moyens extraordinaires que nous offrent les techniques musicales d'aujourd'hui. Et alors, pourquoi l'Église refuserait-elle d'utiliser les enregistrements qui ont été faits des grandes œuvres du répertoire religieux du passé ? Ces œuvres ont civilisé, consolé, apaisé, soutenu, inspiré pendant des siècles des légions de chrétiens. Pourquoi donc les excommunier aujourd'hui ? Il est urgent que la question soit posée.

19 juin.

J'ai reçu beaucoup de questionnaires, la plupart d'étudiants. Mais celui que m'inflige un professeur gros, gras, hypertendu, dépasse toutes les bornes : 57 questions ! Je suis tout pantois devant cet interrogatoire inquisitorial auquel je ne me suis jamais soumis moi-même.

•

Après la longue sécheresse, pluie copieuse, enfin, et drue, verticale et chaude et si bienfaisante ! Aussitôt toute la verdure s'est levée. Et toutes les idées de la terre sont debout. C'est l'heure du *Benedicite*.

J'aimerais écouter, comprendre ce que chante ce beau pommier que j'ai là, devant moi, et tout vêtu de blanc comme une épouse au matin de ses noces.

23 juin.

C'est dimanche. J'aurais le goût de reprendre le chemin des Hauts, et tel petit sentier bordé de jeunes arbres : sapins, mélèzes. J'y cueillerais quelques mousses qui sont ouvragées comme des dentelles au point d'esprit, au point de mariage, au point de Bruges ...

À Chicoutimi, au temps de ma jeunesse, dans ma famille, il y avait des dentellières. C'était l'époque où les femmes ne parlaient point sans manier le fuseau, l'aiguille, le crochet. Ainsi allaient les doigts et les heures dans un chemin de beauté.

J'ai un portrait de ma mère avec ses filles, Blanche et Françoise. Elles tricotent en s'aimant. Il faudrait être un Vermeer pour peindre cela, cette douceur, cette paix familiale dans le travail.

•

J'ai remis à plus tard cette émission sur la colonisation. Oh ! si je pouvais me libérer la tête de tous ces discours. C'est la terre elle-même de mon pays qui devrait parler... Et, en fait, elle parle. Mais on ne l'écoute plus.

•

Visite de Cécile Cloutier... Poétesse ? Non ! Je n'aime pas ce mot. Disons : Cécile Cloutier, poète. Ce mot étant assez féminin.

Or, cette charmante Cécile fait des vers un peu au compte-gouttes. Elle a horreur de l'amplification verbale. Je la comprends. Et puis, le cœur ne bat-il pas au compte-gouttes ?

•

Reçu hier un poème de Gatien Lapointe. Beaucoup de jeunes écrivent facilement beaucoup de poèmes. Certains font comme s'ils n'avaient qu'à secouer leur dictionnaire sur le vide, avide, du papier. Et tombent les mots au petit bonheur la chance ! C'est la poétique du hasard. Mais il n'en va pas de même de Gatien. Il a beaucoup de talent. Et si l'on devine, ça et là, l'influence de Claudel, je ne le lui reprocherai pas. Les vrais poètes sont dans une continuité. Ils ne sont jamais sans ancêtres.

24 juin.

Visite d'un groupe de jeunes. Ils descendaient, m'ont-ils dit, la côte des Éboulements en parlant de Menaud.

C'est la fête de la Saint-Jean. On allume des feux sur les grèves des *Écorchats* et de la *Bourroche.* (On appelait ainsi un endroit de l'Ile-aux-Coudres où l'on plaçait des bourdigues pour la pêche aux anguilles).

25 juin.

Je travaille ma *Dalle-des-Morts,* et c'est comme si je revivais l'histoire de mon pays. L'abbé Lionel Groulx écrivait en 1958 : « Les petits Canadiens français ont besoin de s'entendre dire que ce continent fut d'abord, dans sa majeure partie, français et que, par des moyens dérisoires, leurs ancêtres avaient créé au Nouveau-Monde un empire dont on ne voit pas d'équivalent dans les temps modernes. »

6 juillet.

On me prédit que, chez les jeunes, mes lecteurs seront de moins en moins nombreux ; que, déjà, mes propos ne les intéressent plus guère, et que mon verbe lui-même leur devient étranger !

Mais tel que je fus, tel je veux être jusqu'à la fin. Par amour. Par fidélité, par respect des êtres.

Quant à ma langue, j'ai essayé d'y mettre mon pays. Malgré mes liens avec la chère vieille mère patrie, je ne puis écrire comme un écrivain de France ; et je ne le dois pas.

J'ai vécu dans une continuité historique que je trouvais belle et digne d'être vécue. Or, la plume était le seul instrument de mon amour pour les miens et la seule arme de ma résistance. Et par moments, cette plume, elle devenait semblable à cette pique de draveur que levait Menaud contre les barbares, contre les spoliateurs et contre les ennemis de la liberté.

Il est simpliste de ne juger les Poètes que sur les réalités extérieures qu'ils chantent ou décrivent. Ils refont les hommes et les choses à leur image et ressemblance. En sorte que leurs œuvres comportent des signes jalousement authentiques. Et tant mieux s'il en est qui se retrouvent eux-mêmes sous un verbe ainsi personnalisé.

Quant à ceux qui ne veulent ou ne peuvent point me comprendre, je pourrais leur dire : Vous n'avez point vu ce que j'ai vu ; vous n'avez pas entendu ce que me disaient la terre, les bois, les montagnes, les eaux de mon pays. Et peut-être avez-vous été sourds aux voix des traditions de vos pères. Et peut-être n'avez-vous pas écouté le passé ni le profond langage du temps, ni le divin leitmotiv des vérités de toujours.

10 juillet.

Je rencontre un groupe de jeunes 4-H à la Coulée-Girard, dans le pays de Menaud. L'ami Mark Donohue m'accompagne. Je suis heureux qu'on ouvre, enfin, aux jeunes, les portes de leur pays.

Je leur ai, d'abord, montré une carte de l'Amérique française, rappelé la merveilleuse saga de nos grands explorateurs. Les yeux étaient brillants ; les oreilles, attentives.

Et puis, tout doucement et comme à petits pas, j'ai repris avec eux les hauts sentiers où je reviens, moi-même, toujours.

Et voilà que je retrouve des notes du temps de Menaud :

Maintenant, de la verte et vivante profondeur, par la suggestion de cette forêt suppliante, de ses branches levées, de cette voix collective, a surgi devant moi la grande image du peuple assemblé.

Le vent héroïque a éveillé le peuple de ma mémoire. Mes morts se sont levés. J'entends leur plainte inconsolable. Ils sont debout contre la race des dégénérés et des traîtres. Tout mon humble peuple au cœur d'or, aux pieds intrépides, à la peau corroyée par la misère, tous les marcheurs, tous les audacieux, tous les tenaces, tous les faiseurs de terre, tous les découvreurs, tous les chanteurs, tous les mots français jusqu'à la mer de l'Ouest, toutes les musiques françaises depuis des temps très anciens, tous les bras brasseurs d'eaux et de vents, toutes ces fines proues poussées jusqu'à la source des rivières, toutes les eaux humaines, toute la terre humaine, tous les exploits, toutes les souffrances, c'est, ensemble, tout cela qui s'est levé comme un chœur.

Ô chœur, tragique et terrible est ta voix ! Ô chœur, tu nous accables de reproches ! Ô chœur, avec tes bras tordus et les cris de tes entrailles, tu es semblable à la Pythie qui clame que les morts qu'on oublie sont vivants et menacent l'avenir des plus sombres prophéties.

11 juillet.

Le Dieu de Miséricorde, mais un peu dégoûté tout de même par les crimes de tant de pécheurs ne finira-t-il pas par les loger dans quelque lointaine planète qu'Il appellerait la Planète Misereor ? Laisser mon imagination travailler là-dessus... qui n'est pas encore dans les dogmes, et faire une géographie descriptive de ces lieux que j'invente.

12 juillet.

Je médite sur un très compliqué problème : celui de notre corps. Tout y est si parfaitement composé, agencé, en si délicate interdépendance, en si étroite mouvance du tout et de la moindre de ses parties qu'il suffit d'un caillot de sang pour que cette belle machine s'arrête dans la mort.

•

L'artiste a la tentation de s'en faire accroire. Mais, même s'il se targue d'être créateur, il n'est pas un dieu. « On ne part pas de rien. Quand il n'y a pas de nature avant, le tableau est toujours mauvais » dixit Nicolas de Staël, peintre.

13 juillet.

À mon ami, musicien-compositeur qui fut très précoce puisqu'il commença à pianoter dès l'âge de trois ans, je demande quel fut, en musique, le plus difficile pour lui. Il me répond : « Monter sur le tabouret du piano... »

La réponse est admirable de naïveté. Je dis *naïveté* en pensant à l'origine du mot : *nativus*. Et c'est le mystère des talents naturels ou innés.

Mais que de talents sont morts dès l'enfance !

Roger eut cette chance de naître et de s'éveiller à l'harmonie dans une famille où la musique était un culte. Il y avait à Granby l'orchestre Matton. Je vois un enfant parmi ses jouets sonores... Mais aujourd'hui, ce sont des pistolets qu'on donne aux jeunes. Et ils s'amusent à les diriger contre nous...

27 juillet.

Je travaille à ma *Dalle-des-Morts*. Scène d'amour.

Ce soir, j'ai relu avec émotion la parabole de l'Enfant prodigue, et j'ai griffonné des notes pour un futur poème.

Inspiré par ce que, chaque jour, on peut voir et entendre à la TV, j'ai imaginé ce lieu de perdition où le malheureux jeune homme dépensa follement sa part d'héritage : c'était, dans l'une quelconque de nos villes, un bâtiment quadrilatère à plusieurs étages largement ouverts sur une sorte de puits intérieur. En bref, une sorte de triste boîte conçue par des cerveaux malades pour les besoins d'une totale cacophonie ; et cela s'appelait, en l'honneur de Jérôme Bosch, le *Jardin des délices*. Et chaque soir et durant des nuits, des hurluberlus mâles et femelles grattaient des guitares, dansaient une sorte de danse de Saint-Guy et chantonnaient les chansons qu'inspiraient à chacun ses transes psychopathiques.

Cette maladive vision que je viens de décrire n'a cependant rien de finalement méchant, puisque, au-dessus et dans le calme religieux d'une exorable nuit, je plaçais une douce colombe qui, volant à la recherche des prodigues, faisait entendre l'appel suave de la miséricorde et du pardon.

28 juillet.

Nuit chaude. Nous avons veillé dehors en écoutant de la belle musique.

•

Dans *Le Devoir* d'hier, un généreux article de Jean-Éthier Blais sur *Le Barachois*. Critique de belle langue, de vaste et solide culture, il a signé d'admirables pages sur Lionel Groulx. Il me gêne un peu de lui écrire.

6 août.

Un grand silence où le temps m'écoute.

Je relis et me récite *Philomèle et Progné*. De ces vers si tendres qui me rappellent ce chant mélancolique de la grive-ermite de nos bois, ma mémoire se fait des phylactères :

...Voici tantôt mille ans que l'on ne vous a vue...

Peut-on imaginer plus doux reproche ? Qui exprima jamais mieux ce triste temps humain que l'absence prolonge ?

On dit communément : « Il y a un siècle que l'on ne vous a vu... » Mais pour le cœur de La Fontaine, c'est de *mille ans* qu'il semble. Mille ans ! c'est l'attente éternelle de l'amour :

...Dans un bois où chantait la pauvre Philomèle...

10 août.

Je reviens du lac à l'Islet où je fus heureux ; et je me réjouis encore du spectacle qui me fut donné de voir dans le portage du lac à Boulianne.

Suivant, au pas de mon âge, les musiciens Roger Matton et Françoys Bernier, j'observais une sorte de démarche qu'on ne connaît plus dans nos tristes villes bétonnées.

Parmi les mousses moelleuses, les fougères, les arbres et les fleurs de la forêt, les pas, les pauses et les moindres gestes de mes deux amis devenaient merveilleusement accordés. Un ruisseau accompagnait d'une musique de flûte ces purs mouvements de l'âme et du corps, auxquels suggéraient de merveilleuses attitudes et d'exquis équilibres les vertes grâces de l'ambiance et les magies continuellement changeantes du soleil et de l'ombre.

En somme, ce que je voyais, c'était une sorte de vie primitive, heureuse, à la fois marchée et dansée et qui me représentait ce que durent être, avant la chute fatale, les premiers pas émerveillés de l'homme dans les allées de son premier jardin.

Ce spectacle devenu un ballet d'imagination où revenaient les voyageurs de ma *Dalle-des-Morts,* je lui ai donné, en moi-même, le nom de Ballet du Portage des musiques.

•

Vers les trois heures, visite de Jean Papen qui me demande conseil au sujet de sa thèse sur Georges Bugnet. Cet abbé veut se dévouer à l'éducation des nôtres en Saskatchewan. On n'est guère attentif, dans le Québec, aux sentiments de frustration, de regrets, d'inquiétudes de nos frères de l'Ouest. Ce sont des cœurs blessés mais qui s'obstinent quand même à battre français.

Quant à ce cher et noble Bugnet, il fut romancier, naturaliste, horticulteur, créateur même d'une rose qui porte son nom. Mais cette rose Bugnet, on ne la trouve pas dans les plates-bandes littéraires du Québec.

11 août.

Il fait froid, et déjà les nuits sont d'automne et ramènent, à plein ciel, toutes sortes d'interrogations sur le destin de l'homme.

Ce sont surtout les moralistes espagnols (dont les noms reviennent avec une si fine ironie dans la cinquième lettre des *Provinciales*) qui ont introduit tant et tant d'épineux cas de conscience dans la chair déjà si brève et... *si triste,* hélas de l'homme.

Mais l'homme est nativement et profondément pur, et il le reste même dans ses écarts. Je l'ai bien senti en moi-même, pécheur, et aussi, chez les autres. Et au-dessus de toutes nos souillures, je crie : vive Dieu dans l'homme ! et vive la vie qui vient de Dieu, et que l'amour du Père sauvera toujours des damnations humaines et de la mort !

22 août.

Contre les bons apôtres de la *révolution tranquille* et de ce qu'ils appellent avec fierté le *pluralisme* religieux, j'ai retrouvé ce texte qui donne à réfléchir sur les divisions qui menacent l'avenir de notre peuple :

« La force d'un pays ne résulte pas seulement du chiffre de sa population, de sa richesse, de sa puissance économique. Elle dépend, plus encore, de l'intensité de son sens national. Mais qu'aux heures d'épreuves une réaction convergente se manifeste chez ses habitants, il est essentiel qu'ils se sentent liés par une communauté d'intérêts et de désirs. Ce sont ainsi les deux principes fondamentaux d'unité et de continuité qui servent de ciment à une nation, en transformant en un groupe cohérent et articulé ce qui, sans eux, resterait un troupeau inorganisé et chaotique. Dans *l'unité,* chacun puise la conviction qu'au delà des divergences superficielles existent des motifs profonds d'entente. La continuité donne un sens aux actes d'aujourd'hui, en les rattachant à ceux d'hier, et en les rendant responsables de ceux de demain. Fort de ce double support, un pays ne risque pas de s'effriter quand une crise le menace. »

Robert Lacour-Gayet,
La France au début du XXe siècle,
Revue de l'Université Laval, Québec,
mars 1954, p. 620.

23 août.

Problèmes du style dont on a dit qu'il était l'homme. Oui, bien sûr. Et cependant combien demeure obscur cet acte noir de l'expression écrite des idées, des sentiments et de la vie sans cesse mouvante de l'homme !

Je ne saurais l'expliquer avec la seule raison.

Je me bornerai donc à d'humbles constats d'expériences vécues :

Il me semble que l'intelligence a des forces d'impulsion qui ressemblent à celles des muscles.

Parfois, après une longue tension, la pensée s'élance bondissante et souveraine.

À chaque âge, ses goûts. Un vieil homme aime les vastes soirs béants où l'âme, après s'être reposée du jour, soudain et d'un seul coup de ses ailes victorieuses franchit des espaces qui vont bien au delà de nos mesures astronomiques.

Il m'arrive souvent, la nuit, de chercher et de découvrir, à des milles et des milles de chez moi, de lointaines et mystérieuses lumières. Et alors, entre elles et moi, il n'y a plus fleuve ni ténèbres. Et ces inconnues qui palpitent au bout d'un seul élan du regard, elles me disent fraternellement au cœur des choses que je ne saurais bien exprimer.

•

J'ébauche, de ce temps-ci, un poème sur le Patriarche Abraham d'avant la Révélation de Jahvé. C'est un sujet que j'aime, que je revis et qui m'anime. Ne pouvant dormir, le vieil homme de 76 ans sort de sa tente. Au-dessus de lui, c'est l'immense caravansérail des astres. Mais comment exprimer l'élan sublime et la prière de son regard et sa retombée tragique dans la solitude muette du désert des sables et de l'âme ?

Les Anges du Seigneur viendront le lendemain ; mais les mots de l'écrivain s'épuisent vainement à dire ce long appel de l'homme, ce cri d'angoisse vers ce Dieu qui, depuis si longtemps, s'obstine à demeurer, selon l'expression d'Isaïe : *un Dieu caché.*

•

Pour rentrer modestement dans mes premières expériences, combien j'ai peine à décrire, comme je la voyais, la sentais, la vivais, cette montée à foulées profondes, haletantes, tragiques de Menaud vers les hauteurs de son pays !

•

Tous ces mouvements qui vont, qui viennent au gré du souffle de l'âme et du corps, je crois qu'ils sont plutôt instinctifs ; et quant à ce qu'on nomme le style, il suit, comme un sergent-fourrier avec tout son bagage de mots, de grammaire, de dictionnaires : lourd équipement indispensable mais qui empêche, entrave la libre marche de l'écrivain. En somme, dans l'impitoyable tempo du temps, de l'intelligence et du cœur, le drame du style, c'est de s'acharner à œuvrer dans... un désir d'éternité.

25 août.

Les historiens sont les gens les plus chanceux du monde parce qu'ils œuvrent dans une matière qui ne bouge plus.

Mais moi, je suis dans le mouvement. Je regarde, ce matin, un timide, un hésitant soleil se chercher un chemin sur le fleuve, sur l'île, sur la montagne du Cabaret. Il me vient toutes sortes de poèmes en fragments et qui me font des niches tandis que j'essaye de les rassembler.

•

L'art ! froid, articulateur. Tel est son premier sens. Tremblement de tout l'être cherchant à unir, à conjoindre tandis que, sur le seuil de la boutique, la Poésie surveille et parfois se met à pleurer.

•

Si l'on savait combien (sans pour autant haïr les autres) j'ai aimé ce petit peuple mien qui se débat aujourd'hui dans toutes sortes de politiques et d'aventures et de criailleries et de disputeries et dans le tohu-bohu de ce qu'on appelle le *pluralisme*.

Et perdu, l'on cherche le vrai, le bon sens et les principes qui viennent de très loin et vont bien au delà des éphémères, petits et coûteux expédients.

•

J'ai, dans une sorte de nuit politique, récemment songé à ce que pourrait et devrait être un Sénat, au Québec, mais un véritable, et prudemment composé d'hommes d'honneur et de valeur, de sagesse et d'expérience. Les membres de ce conseil seraient choisis non par le gouvernement, mais par les grands corps de l'État : cultivateurs, ouvriers, industriels, commerçants, universitaires et... (pour la défense des 10 Commandements) quelques solides hommes de Dieu. Ce sénat serait ainsi libre de toute politique partisane et les gouvernements ne pourraient faire les lois sans recevoir ses avis et son approbation.

Dans le désarroi actuel et parce qu'ils n'ont plus le temps de penser, nos chefs politiques créent des commissions. Elles sont, là, comme des cuisines chargées d'apprêter les lois. Il en est de bonnes ; il en est où règnent les fricasseurs. Mais elles ont toutes ceci de commun : elles coûtent très cher au pays. Et il arrive que la première étant séchée, il faut en nommer une *Sous* et, dans les cas extrêmes, une *Super* commission.

On aura compris que, pour me servir des mots de Tacite, c'est *sine ira et odio* que j'écris ces choses. Enfin, *caveant consules !*

25 août.

Pensées du matin.

Neque enim quæro intelligere ut credam ; sed credo ut intelligam. (S. Anselme). Croire d'abord pour mieux comprendre. Cette démarche est simple et raisonnable à fond.

Ce grand saint Bernard et son mysticisme qui tant plaît au caribou que je suis : « Il y a plus à apprendre dans les forêts que dans les livres, écrit-il. » Je reprendrai donc les sentiers de mes forêts. Ô vous les êtres restés tels que vous fûtes créés ! Heureux objets d'une inépuisable contemplation ! Symboles vivants et parlants ! Sapins de mon pays aux vertes démonstrations arithmétiques, poétiques, parfumées de baume, j'irai à vos leçons, j'apprendrai de vous les lois de l'univers.

Et que Dieu m'accorde encore de refaire avec lenteur, à petit aviron, religieusement, le tour de quelqu'un de nos innombrables lacs, là où le myrique, arbrisseau de myrrhe, exhale en douceur le parfum de son âme.

31 août.

Ma fête ! Maman m'avait dit un jour que ma naissance l'avait fait beaucoup souffrir.

8 septembre.

J'ai trouvé, me semble-t-il, ce qui manquait au premier tableau de ma *Dalle-des-Morts*.

•

J'ai regardé hier à la TV le Ghetto de Varsovie. Et j'ai bien mal dormi. Ces horreurs pourrissent la terre, ébranlent la foi. Dieu d'Abraham, d'Isaac et de Jacob, pourquoi n'es-tu pas intervenu ? J'ai relu le Cantique de Moïse :

> Cieux, exultez avec Yahvé !
> et que les fils de Dieu
> l'adorent !
> ... Il vengera le sang de ses
> serviteurs...
> Il purifiera la terre de
> son peuple.

Mais la Foi ne se peut limiter aux frontières du présent. Elle a, pour la justice, ce que l'Ecclésiaste appelle *le temps de chaque chose : Tunc tempus omnis rei erit.*

Contre mes doutes, j'ai aussi relu le sermon de Bossuet sur la Providence. Il y a là le réquisitoire des libertins et la divine réponse de la Foi.

11 septembre.

Dans *Le Devoir* de ce matin, longue entrevue de René Chaloult, un patriote que nos politiciens ont écarté comme ils ont fait de l'abbé Groulx et de tant d'autres. Son nom m'a rappelé un voyage de survol qu'avec Mgr Parent, Luc Lacourcière et l'abbé Fortier, nous avions fait au royaume de Matagami. Ces dimensions d'un pays que les Anciens ont prises laissent songeur.

24 septembre.

Pour mes cours, j'aimerais être d'une familiarité toute simple et fraternelle et non un barbacole prétentieux et qui fait le pédant.

Je voudrais raconter tout bonnement, tout débonnairement, mes expériences qui n'ont rien du savant, mais sont d'amour, d'admiration, d'émerveillement. Et parfois, entre les trous du langage, c'est une grande idée qui se lève debout dans sa lumière. Ou encore, c'est, soudain, un aperçu qu'on n'avait point perçu et qu'on découvre au choc d'une question qu'on nous pose. Je me rappelle cette expérience que j'avais vécue en 1959, alors que j'écrivais *Le Barachois*. Après mes petites dissertations assez bien préparées quand même, je descendais de ma tribune magistrale (?) et j'allais m'asseoir parmi mes étudiants. Je devenais l'un d'eux. Ce genre semblait leur plaire. Je dialoguais fraternellement. Leurs questions étaient parfois fort intéressantes. Elles m'apprenaient beaucoup. Je constatais que, chez certains jusqu'alors muets, la gêne avait créé des barrages. De mots souvent. Et puis, dans les embarras majeurs, il me restait toujours l'ultime ressource de l'ignorance, du « je ne sais pas aujourd'hui... Peut-être le saurai-je demain. » Les étudiants prenaient alors avec un bon sourire et sans contestation la mesure du professeur. Ils comprenaient que, lui aussi, il était dans les labeurs et les perplexités d'une science qui se fait.

•

PETIT POÈME

La jeunesse danse, danse...
Dans les champs
qu'ont défrichés nos pères,
le chiendent pousse.
Et tandis que danse et danse la jeunesse,
Oh ! combien triste est la plainte du pays.

3 octobre.

Il fait sombre. Rideau de petite pluie qui ferme tous les paysages d'alentour. Je travaille obstinément à ma *Dalle-des-Morts.* Titre un peu funèbre. mais géographique et qui s'imposait au bout de l'héroïque aventure des miens jusqu'aux extrémités de notre immense pays.

Un phénomène que je ne m'explique pas : c'est que presque tous les passages de l'amour me viennent en vers, en alexandrins. C'est quand ils sont entrés dans cette forme qu'ils se reposent, comme s'ils se trouvaient accomplis. J'éviterai donc de lire Racine. Il peut devenir obsédant. Et puis, mes voyageurs ont des allures ou des pieds que gênerait le cothurne...

Je persiste quand même à croire que le vers mesuré est naturel, et que, grâce à ses rythmes, il se prête admirablement aux discours de l'âme. Et, par endroits, au-dessus du sens logique, plane une musique qui en dit plus et mieux que les mots. Il y a un ciel au-dessus des grands vers.

5 octobre.

Voyage avec mon bien-aimé frère Roger et mes neveux dans le pays de Menaud. Nous logeons au creux d'une vallée profonde et paisible, à l'endroit qu'on nomme l'Équerre de la rivière Malbaie.

Tandis que les neveux, poussés par leur instinct de chasseurs, guettent le gibier, mon frère et moi, songeurs autant qu'émerveillés, nous marchons dans les brèves splendeurs de l'automne.

Forêts de mon pays ! que m'avait révélées mon père, ceux qui ne vous ont point connues ne savent point ce que c'est que la vraie liberté. Loin des esclavages et pollutions de la ville, pureté des grands bois ! Concordance avec la vie naturelle ! Joie de l'âme au sein de l'ordre ! Lyrisme et alleluias parmi les merveilles où je voyais la main de Dieu. J'aurai vécu dès ma jeunesse, dans le royaume des enchantements.

Ces sentiments n'allaient pas sans réflexion sur les richesses possibles mais encore inconnues que cette puissante nature recélait... peut-être. Tout m'était mystère, mais aussi tout me devenait objet de curiosité et d'attention. Je ne pouvais voir un ruisseau laver en chantant ses sables et ses pierres sans penser aux trésors qu'il charriait... peut-être... Les hautes montagnes inexplorées étaient pour moi des énigmes que j'interrogeais pour leur demander le secret des minéraux qu'elles renfermaient... peut-être... Je voyais des artisans utiliser, pour nos papiers Saint-Gilles, des lichens ou mousses de caribous, des écorces dorées, argentées de merisiers et de bouleaux ; des bûcherons heureux pratiquer avec une respectueuse économie la coupe des arbres. Et dans cette longue et si belle vallée devenue parc où nos frères, les animaux qu'on appelle sauvages, erraient en liberté, je prévoyais des camps de jeunes venus là non pour y flemmarder aux frais de l'État, mais pour y chercher, instruits, attentifs et disciplinés, les biens de toute espèce réservés aux nôtres s'ils voulaient bien se donner la peine ou la joie de les découvrir.

En somme, dans cette forêt sans thèses, chamailleries ni contestations, sortaient des bois, de la terre et des rochers eux-mêmes, toutes sortes d'idées, la plupart très réalistes, les autres, un peu fantaisistes, peut-être, mais toutes inspirées par le désir ou la passion de restaurer notre peuple dans sa dignité de peuple enfin libre et maître de son destin.

Et le soir, rassemblés autour d'un feu de camp, nous rendions grâce à Dieu.

13 octobre.

Les amis A.-Marie Parent, Émile Bégin, Lorenzo Roy sont venus dîner. La tourtière était délicieuse, faite à l'ancienne mode du Saguenay : lièvres, perdrix, morceaux de porc. Le tout enrobé de pâte dorée et présenté dans un chaudron de fer. Plat vigoureux qui donnait le goût de prendre le chemin des grands bois.

Ainsi bien lestés, nous sommes bravement partis pour le Concile où les Pères ne mangent certainement pas de tourtière. Pour résumer nos assises, nous avons débattu la grande question : celle de l'Église entre le Christ et l'homme. J'ai mes idées là-dessus. Mais les humbles petits curés qui eussent pu apporter l'expérience des âmes n'ont pas voix au chapitre œcuménique. Et la centième brebis de l'Évangile fait entendre sa voix inquiète et plaintive dans les buissons de l'égarement.

•

Mort de Jean Cocteau, prestidigitateur de poésie. Âme noble, chrétienne, agitée et combattue par des passions contraires. Dieu l'aura sans doute reçu sans trop de sévérité. Je dirai la messe pour lui afin que le purgatoire lui soit bref et tempéré.

15 octobre.

Très doux. Bref retour vers mon pays intérieur, vers cette nature que Dieu a faite sans prendre l'avis des structuralistes, vers cette liberté de l'âme ouvrière où je retourne chaque fois que je puis échapper aux contraintes sociales. Sanctuaire de moi-même ! Images vivantes des saisons, des années ! *Penetralia,* dirait Tacite, où je me sens invincible aux tapageuses folies de l'heure.

Et par moments, souvenir des parfums de la forêt. Ils ont ceci d'extraordinaire qu'ils se spiritualisent et montent tout droit à l'esprit.

•

Quand j'étais jeune, nous récitions l'office de la Vierge Marie. Et il y avait là des mots qui me parfumaient l'âme : ... *le nard et le safran, le roseau odorant et le cinnamome, et tous les arbres à encens ; la myrrhe et l'aloès avec les plus fins aromes...*

Or, il y a quelque temps, je cherchais cette chemise de laine que j'avais rapportée du bois. C'était pour me plonger la tête dans les baumes sauvages dont les sapins l'avaient imprégnée. Et voilà que cette chemise précieuse, odoriférante, je la retrouvai lessivée à fond par ma trop propre ménagère. Je devrai donc passer le long hiver des réclusions aseptiques victime des détergents et savons de notre radio nationale.

20 octobre.

Avec l'artisan Georges Audet, visite à Maurice Tremblay, de Sainte-Agnès.

À l'époque de mon vicariat, il était charron. La boutique n'est plus qu'un souvenir. Mais nous y avons trouvé une quinzaine de gouges, gougettes, gorgets, bouvets, ciseaux, ciselets, etc.

Maurice, vieux et malade, m'a raconté le rituel de finition des belles carrioles. C'était l'époque où le temps était au service de l'art. On n'en finissait plus de débrutir, de poncer, d'adoucir ; on avait soin de laver le plancher avant d'appliquer les vernis. C'est dans un air purifié de toute poussière que le chef-d'œuvre devait s'achever. On le flattait des mains ; on se reculait pour en regarder la polissure, laquelle, faisant enfin miroir, reflétait le visage souriant du polisseur. Alors, dans beaucoup d'humbles boutiques du Canada français, régnait un idéal de perfection, de beauté.

Ainsi, robes de fourrure flottant au vent, chevaux fortement râblés, presque lyriques dans les poudreries de l'hiver, les belles carrioles rouges et... chrétiennes d'autrefois portaient un peuple fidèle et joyeux vers l'église et la maison.

21 octobre.

Je suis allé bénir une statue de la Vierge à Saint-Hilarion. C'était un spectacle émouvant que celui du bon peuple de nos campagnes fêtant le mois de Marie, la fin des angoisses de l'hiver, et l'ouverture religieuse du printemps. J'ai rappelé le souvenir de la Mère Gagnon qui, octogénaire et presque aveugle, allait quand même au trécarré cueillir des bleuets. Elle priait alors la Sainte Vierge en disant : « Vous les voyez, vous, les bleuets... Montrez-moi-les donc... »

21 octobre.

Longue lettre de l'ami-musicien Roger. Il m'annonce qu'il a enfin trouvé un appartement dans la banlieue de Paris. À Chatou : jardin, beaux arbres ; et travaillant tout près : le grand peintre et graveur, Michel Ciry.

3 novembre.

C'est le premier *blitzkrieg* de l'hiver. On voudrait s'enfuir quelque part vers les pays du soleil. Mais il faut faire front, et, chaque jour, se résigner à l'apprentissage de la solitude claustrale.

15 novembre.

Je viens de terminer le brouillon de ma *Dalle-des-Morts*. Cette pièce que m'a inspirée l'héroïque aventure des nôtres et qui m'a coûté beaucoup de recherches et de travail, je l'aurai écrite pour la jeunesse de mon pays.

Mais sera-t-elle jouée ? Et puis, si elle l'est, respectera-t-on son verbe ? Il est, par endroits, tout plein d'hésitations et de silences : les silences naturels de l'amour ! Mais il n'y a que les grands acteurs pour comprendre ces choses. Quant aux autres, ceux qui n'ont point le texte dans le cœur, qui n'ont point les cordes poétiques nécessaires et ignorent tout ce que peuvent et doivent exprimer les labiales, les dentales, les gutturales et même — suprême finesse de notre langue — cet *e* final qu'à tort on nomme l'e muet, ceux-là, dis-je, ils me débobineront... Et c'est un bien triste sort, après des mois et des mois de travail, que d'être ainsi mécaniquement débobiné.

Au sujet du théâtre dont je rêve, je retrouve l'article ci-dessous, publié en janvier 1961 dans la *Revue de l'Univer-*

sité Laval. Mon drame lyrique intitulé *La Folle* avait paru en décembre 1960, et son sort ne cessait de m'inquiéter.

LE THÉÂTRE DONT JE RÊVE

C'est un essai que je présente aujourd'hui. Il surprendra, peut-être, par le thème, par la forme, par le retour à des moyens, v.g. le chœur, qui sont presque tombés en désuétude. S'il me faut excuser, je dois dire que ce chœur de mon drame procédait d'une nécessité de mon esprit et de mon cœur. Et le plus inquiétant pour les critiques qui me chercheront noise, est que j'entends encore d'autres chœurs auxquels je n'ai pas du tout l'intention d'imposer silence. Enfin, on verra demain ce qu'on verra ; et que Dieu me soit en aide !

Ma grande peine, après celle de ma douloureuse Mélanie, est que ce drame lyrique soit incomplet, pour moi du moins. Dans ce que j'appelle mon théâtre intérieur, les choses ne se passaient pas comme dans un opéra, bien sûr ; mais il me semblait, dans les silences surtout, entendre une musique. Quelle ? Je ne saurais le dire précisément, et pour cause. C'est, je l'avoue, une infirmité grave et une indicible souffrance que de ne pouvoir compléter son expression verbale par une musique appropriée !

•

Le théâtre est en progrès dans mon pays. Le théâtre joué, surtout. Nous avons des compagnies de plus en plus nombreuses, et des artistes qui font une bonne besogne. De puissantes institutions, comme le Conseil des Arts du Canada, les encouragent. À la bonne heure ! Mais dans l'entracte, j'ose une petite suggestion. Il faudrait aussi, je pense, stimuler davantage les auteurs, les compositeurs, les créateurs de toutes formes. Ils sont à la pitance, c'est-à-dire en pitié, les pauvres ! Il n'est pas question de les gaver, ce qui leur serait fatal. Mais les libérer un peu de ce que Horace appelle la *res angusta domi* ou de la préoccupation du pain quotidien, serait une bien bonne chose, et commencer, je crois, par le commencement.

Je souhaite qu'avant sa pension de vieillesse, un auteur affamé (et il n'en manque pas) compose bientôt, avec humour, s'entend, une sorte d'émouvant rogaton à l'adresse des pouvoirs publics.

J'imagine un mécénat qui, loin de toute coterie, et même de tout éditeur, à égale distance de tout préjugé, stimulerait les créateurs à créer. C'est une sorte de beau rêve angélique que je fais là. Mais il n'est pas, pour le moment du moins, interdit de penser aux anges, je veux dire aux anges blancs, dans un pays comme le nôtre où une bonne part du climat demeure heureusement encore saine et religieuse.

•

Plus je vieillis et mieux je vois la pressante nécessité d'un grand théâtre chez nous. Il provoquerait cette bienfaisante catharsis dont nous aurons tant besoin, avant de tomber à coups de bâtons les uns sur les autres, dans une sorte d'échauffourée intellectuelle dont il faudra plus tard réparer les dégâts.

Catharsis ! Salutaire et souhaitable catharsis ! Quel Purgon de génie nous l'administrera donc enfin ? Il est vrai, pour tout dire, que nous avons le sport, les *lettres au Devoir,* les courageuses confidences et blagues du Frère Untel, les solennelles déclarations ou manifestes ou même anathèmes de divers conciles ou conciliabules ou simples pique-niques intellectuels qui ont lieu, à droite, à gauche, très régulièrement et très sérieusement.

Mais si tout cela, que je viens plaisamment d'énumérer, peut paraître suffisant (soit dit sans malice), cette apothicairerie violente ne nous donnera pas, je crains, la profonde, la bénéfique, la saine et mesurée purgation dont nous avons besoin. « Votre Monsieur Purgon, dit Béralde dans le *Malade imaginaire,* est un homme [...] qui ne voit rien d'obscur dans la médecine, rien de douteux, rien de difficile, et qui, avec une impétuosité de prévention, une raideur de confiance, une brutalité de sens commun et de raison, donne au travers des purgations et des saignées et... ne balance aucune chose ».

Pensant à la présente et dangereuse féculence de nos humeurs, cette image de balance m'est revenue. Il nous faudrait une purgation balancée, un théâtre balancé, et, de surcroît, une critique balancée, elle aussi, c'est-à-dire honnête, et soucieuse d'observer la loi des poids et des mesures.

Les sources où ce grand théâtre à venir pourrait puiser ne manquent pas. Elles sont même abondantes. Nous devrions nous appliquer à les connaître. On diminuerait aussi les importations de bobos et de remèdes. Et puisque je suis en veine de conditionnels, allons-y !

Il nous faudrait un grand théâtre, mais autochtone, *i.e.* sorti de chez nous, un théâtre de variété, de grandeur et de vraie poésie.

Il nous faudrait un théâtre religieux, eh oui ! bien sûr, pour remettre sous les yeux des fidèles les grandes images de la Foi, les merveilles et même les monstres qu'on rencontre dans la vie des saints. Ce théâtre restaurerait le sens du sacré que nous sommes en train de perdre, sens de qui relèvent non seulement la religion, mais la poésie, mais l'ordre social, grâce à cette relation profonde qui existe entre le sacré et toutes les réalités de la création.

Il nous faudrait un théâtre pour enfants, un joyeux théâtre de soleil, jeune, vigoureux... On pourrait, je crois, le tirer, en bonne partie du moins, de nos traditions, de nos contes, de nos légendes. On pourrait le tirer aussi, et pourquoi pas ? de notre histoire. Les poètes, que je sache, ne sont pas les seuls à pratiquer l'art des mythes. Il arrive à nos plus soucieux penseurs, à nos sociologues et même à quelques-uns de nos historiens, d'avoir des aventures de ce côté-là. Et je ne le leur reproche point. Le fait d'agrandir un peu une belle tête historique est, pour le moins, tout aussi respectable que le procédé de la réduire, à la manière des Indiens Jivaros de l'Amazone.

Il nous faudrait des comédies. Nous avons encore assez bon foie, je pense ; mais la rate un peu chargée, opilée ; ce qui pourrait tôt ou tard causer « dépravation aux fonctions de la faculté princesse », comme disait le premier médecin de Monsieur de Pourceaugnac.

En tout cas, Dieu sauve la rate ! C'est de temps en temps, un bon, un franc, un large éclat de rire collectif, désopilatif, dépuratif, cholagogue et mélanogogue, qui soulagerait notre rate nationale.

Dans tout ce théâtre que j'entrevois et que j'espère, il y aurait des ombres, parce que les ombres sont indispensables à la lumière. Mais il n'y aurait pas que des ombres noires.

Je reviens, pour finir, à cette image de balance de tout à l'heure et qui me plaît beaucoup. J'ai longuement contemplé le tympan central de la cathédrale de Bourges. Il représente le Jugement dernier. À gauche, naturellement, sont les démons et une immense marmite où, comme dit Villon, *dampnez sont boullus ;* et à droite sont les élus et *paradis paint où sont harpes et lus*. Mais dans le centre, debout, imperturbable et souriant, il y a le grand ange de la balance.

Ce sera toujours cette indispensable balance que, bon gré, mal gré, il faudra mettre au juste centre de nos oscillations humaines. Nous sommes tous enclins à surcharger les plateaux de droite ou de gauche. C'est une manie qui remonte au péché originel. Mais, de grâce, ne faussons pas l'aiguille. Qu'elle demeure immuablement axée sur les principes éternels de vérité, de justice et d'amour !

C'est donc un beau, noble et grand théâtre de juste et sain équilibre que, pour le bien de ma patrie, je souhaite de voir bientôt paraître.

•

17 novembre.

Il me revient à l'esprit quelques remarques, lesquelles, si j'en eusse eu l'occasion, j'aurais aimé faire aux défenseurs de notre langue.

Elle est en péril, comme une ville investie et dont les remparts sont sapés par l'industrie, par le commerce et par cent autres forces qui, trompant notre vigilance, se sont introduites dans la place.

On parle du français comme langue de travail, comme langue officielle du Québec. On la voudrait aujourd'hui imposer aux immigrants. Je ne nie pas l'urgence d'une loi qui protège nos droits et respecte ceux des autres aussi. Mais on oublie qu'une langue est un produit de culture qui doit plaire, allécher par sa pureté, sa beauté, son affabilité. C'est avant tout par ses qualités d'expression et par la richesse de son héritage historique qu'elle peut agréer aux autres. Et alors, quoi faire ? Comprendre enfin que le problème de notre langue relève en premier lieu de nous-mêmes, de notre bouche. C'est ici que l'enseignement à tous les niveaux doit être d'une impitoyable correction linguistique. Que si j'étais le ministre de nos éducateurs... je fermerais énergiquement la porte de nos écoles à tous les massacreurs de notre français, et je les enverrais réfléchir sur cette vérité, savoir que si l'on veut commander le respect d'autrui, il faut commencer par se respecter soi-même.

20 novembre.

Visite de celui que j'appelle le seigneur de la Poulette-Grise. Je connus Louis-Philippe Dufour il y a bien quarante ans, à l'époque où j'étais vicaire à La Malbaie. Et nous devînmes amis. Il exerçait alors la charge de protonotaire. Mais il ne se bornait pas à ce fonctionnarisme. Issu, par sa mère, d'une noblesse de robe, fils d'un député qui laissa fort bon souvenir dans Charlevoix, Louis-Philippe, homme de mesure et de pondération, jouait auprès de ses concitoyens en mal de procès un rôle d'arbitre et de conciliateur. Il me rendit de grands services. Attiré par la bonté de son accueil, par la finesse et la prudence de ses conseils, j'allais le voir souvent. L'expérience l'avait instruit. Dans les cas incertains, il savait douter de lui-même. « Voilà ce que je pense, disait-il. Mais l'autre peut, quand même, avoir raison... » C'était là le dit d'une vieille sagesse paysanne et chrétienne.

Nous prenions parfois ensemble le chemin des grands bois, celui du Lac à l'Islet où nous avions bâti un camp de bois rond. Ni chasseur ni pêcheur, il aimait autant que moi ce pays des hauteurs où, loin des disputes et des conflits, nous retrouvions l'ordre et la paix.

Quittant le greffe, il fonda, à travers mille difficultés, la *Poulette grise,* ferme d'aviculture aujourd'hui reconnue et estimée dans tout le pays.

Soutenu dans son œuvre par une femme admirable, père d'une nombreuse et belle famille, comme un patriarche entouré de ses fils, il préside encore à une entreprise qui n'a cessé de progresser, de s'étendre bien au delà de Charlevoix, et qui prouve ce que peuvent les nôtres quand ils y mettent bon sens, travail, courage et honnêteté.

J'aime à lui rendre ici mon humble témoignage d'admiration et de fidèle amitié.

26 novembre.

Ces jours derniers, assassinat de John Kennedy. Quelle soudaine et tragique lumière ce malheur jette sur la vie humaine et la précarité de notre civilisation ! Que de sang versé ! que de larmes ! que d'angoisses !

Ce peuple américain, composite, généreux, admirable à tant d'égards, en plus de subir une longue tradition de violence, se voit aujourd'hui menacé dans ses forces vives par l'excès de sa fortune, et les implacables lois de la justice distributive.

Résistera-t-il longtemps encore à cette démesure, à cet υβρις ou orgueil dont parlent les tragiques grecs et qui fut mortel à tant de civilisations ? C'est une question qu'on se peut poser devant un si noble et si considérable cadavre. Mais « je ne dis pas cela comme une insulte à la très grande douleur d'aujourd'hui ». (Sophocle)

7 décembre.

Je prépare des cours sur la Poésie. Sur le laboratoire intérieur, secret, où le Poète travaille au *grand œuvre,* à la transmutation de ses belles, exigeantes et libres visions en verbe d'or et de durée. Il est seul ! Et l'œuvre faite ne dira jamais tout.

Le pauvre homme ! Il a essayé témérairement de s'assumer lui-même, d'assumer les siens et le pays. Portant le poids de tant d'êtres, il a peiné tout le jour. Et de lassitude il se couche, car c'est la nuit. Et voilà que, soudain, l'idée le réveille et lui apparaît comme un songe fabuleux où passent et chantent et dansent les Muses brèves et moqueuses. Reviendront-elles au matin ? alors qu'il ne lui reste plus que la vide page blanche, que les signes noirs d'une plume inconsolable, et souvent qu'un vaste désert où les plus beaux de ses songes se sont enfuis.

8 décembre.

Fête de l'Immaculée. Ave Maria !

Depuis ses origines, l'Église célèbre les noces de l'Esprit-Saint et de la Vierge Marie en empruntant la sublime poésie du *Cantique des cantiques.* Rien de plus beau ne fut jamais chanté sous le ciel.

Le Magnificat est l'hymne de la parfaite reconnaissance et de l'humilité. C'est le très pur et sublime chant d'entrailles d'une mère magnifiant l'Oeuvre de Dieu :

Fecit mihi magna qui potens est.

J'ai souvenance que ma grand-mère Flavie Racine-Savard m'avait appris un cantique qui n'avait rien d'une grande musique :

Je mets ma confiance, Vierge,
en votre secours...

Il me revient souvent en mémoire comme une sorte de grâce musicale qui me purifie et console de toutes les musiquettes religieuses d'aujourd'hui.

... Et quand ma dernière
heure viendra fixer mon sort...

puissé-je, comme un enfant prodigue mais repentant, me jeter dans les bras maternels de la Mère de mon Juge !

Avec toutes les vieilles cathédrales de France, toutes les églises de mon pays, tous les chefs-d'œuvre d'art et d'amour de tant de siècles : Ave Maria ! Je te salue et t'aime.

Dame du ciel, régente terrienne,

Emperière des infernaux palus...[1]

(Villon)

23 décembre.

Visite de vingt commandos du Collège Saint-Jean Eudes de Québec, sous la conduite du Père Légaré. La veillée s'est prolongée tard. J'étais fatigué, mais heureux. Quel réconfort m'a donné cette jeune phalange de scouts attentifs, polis et disciplinés ! Ces rencontres permettent d'atténuer, de corriger certains jugements qu'un vieil homme est parfois enclin à porter.

Vers la fin de ce fraternel entretien, je leur ai parlé d'une certaine paix de l'âme qui ne peut s'obtenir que par la recherche de l'ordre, loin des Babels que les hommes se sont mis en frais d'élever. Après leur avoir rappelé que cette voie de l'ordre, tout embarrassée qu'elle soit d'épreuves, de mystères et de sacrifices, est la seule qui mène à l'amour de Dieu, à

1. Léon Gautier, *Prières à la Vierge d'après les mss. du Moyen âge, les liturgies, les Pères, etc.* Paris, 1873.

l'amour de nos frères et au respect de la création. Et cela s'est terminé par le viatique des Alléluias !

24 décembre.

Cette neige nouvelle venue comme une très calme grâce. Profusion de cristaux. Je la regarde. Elle se pose en moi. Oh ! ce qu'elle éveille de diamants intérieurs ! Et ce qu'elle ajoute aux trésors de mon espérance !

Et, pour cette Nuit ineffable et qui n'est pas comme les autres nuits, m'est revenue la vision de la Cité sainte dont parle saint Jean : *Les assises de son rempart sont rehaussées de pierreries de toute sorte : de jaspe, de saphir, de calcédoine, d'émeraude, de sardoine, de cornaline, de béryle, de topaze, d'hyacinthe, d'améthyste...*

Étable de Bethléem devenue Cité sainte, c'est par le merveilleux porche symbolique de cette neige scintillante de tous ses cristaux que j'entrerai comme un vieux berger dans cette sainte et rajeunissante fête de Noël !

31 décembre.

Au soir. Mes morts se sont levés autour de moi... Ils savent le grand secret.

Je jongle.

Poussière ou cendre de mes mots !

Des textes lointains me reviennent en tête. Pêle-mêle !

Eutrope, réfugié, tremblant, sous l'autel, et l'évêque Chrysostome, à la bouche d'or, prononçant devant le peuple ameuté les mots de toute destinée humaine : *Vanité des vanités. Tout n'est que vanité :* ΤΑ ΠΑΝΤΑ ΜΑΤΑΙΟΤΗΣ.

Et ces vers de Baudelaire me reviennent aussi :
Car c'est vraiment, Seigneur, le meilleur témoignage
Que nous puissions donner de votre dignité
Que cet ardent sanglot qui roule d'âge en âge
Et vient mourir au bord de votre Éternité...

Certitude quand même de ma Foi.
Et confiance.

Et à minuit, ne pouvant dormir, devant le porche ténébreux de l'année nouvelle, je me suis chanté ce que, étendus sur nos lits de collège, jeunes apprentis de la mort, plaintivement nous chantions : ce répons bref de Complies :

In manus tuas, Domine, commendo spiritum meum. Entre vos mains, Seigneur, je remets mon âme.

•

1964

Jour de l'An.

Petite prière à minuit pour l'entrée sous ce porche de l'an neuf. J'ai envoyé mes vœux à l'ami Roger M. Il s'ennuie, je crois. Mais il fait des rencontres qui lui seront profitables : celles du grand compositeur Dutilleux et du graveur Michel Ciry, un artiste dans le plein sens du mot et d'inspiration franciscaine. Il faudra toujours retourner en France pour retrouver ce qui nous manque si dangereusement ici. Les livres ne sauraient suffire. Les vieilles pierres sont indispensables à la culture.

Je dirai la messe pour les vivants et les morts, et pour tous les pauvres qui souffrent et pour le dernier lépreux au fond de l'Afrique la plus noire.

Grand dîner. Neveux et nièces et la très chère bonne sœur Françoise. Et dans l'après-midi, visite de quelques enfants qui souffrent de malnutrition. Ils m'ont fait pitié. Et sur le visage d'un garçonnet au visage terreux, j'entrevoyais avec tristesse de sombres présages d'avenir.

3 janvier.

À Québec, pour la thèse d'un Haïtien, Jean Lafontant, sur « la pureté dans mon œuvre ».

Neige. Blancheur et lumière sur le moindre relief. Formes enveloppées, très douces. Le pays s'encapote.

J'ai reçu de X un poème où je suis perdu. Tout y va pêlemêle. Si j'étais son maître, je lui imposerais un régime et lui conseillerais de fermer sa porte à toutes les modernités poétiques de l'heure ; et je lui citerais ce texte de Gide : « Ce qui paraîtra bientôt le plus vieux, c'est ce qui d'abord aura paru le plus moderne » (*Faux-monnayeurs,* I, VIII).

6 janvier.

Les Rois. J'ai quelque part, dans un cahier, l'ébauche d'une sorte de conte sur les Mages. Dans cette attente religieuse, cette apparition de l'Étoile, cette marche dans le désert, quelle inspiration ! Et puis, dans l'âme d'un pauvre homme qui n'a que des mots, ces présents royaux d'or, d'encens et de myrrhe ! Mais je crains, pour mon poème des Mages, qu'il ne demeure dans le caravansérail d'un vain désir verbal.

10 janvier.

Je suis dans ma Dalle-des-Morts. Étrange passion que j'éprouve à certains jours pour les pays dits sauvages où, tant de fois, au cours de ma vie, j'ai retrouvé des états jeunes et purs. Mais il faut s'avancer dans ces pays comme font les chasseurs : sur la pointe des pieds.

Souvenir : Dans ma jeunesse, nous ne chaussions pas de chaussures raides, à dures semelles, à hauts talons. Nous avions, pour l'hiver, des souliers mous, faits de cuir de caribou, et, pour le printemps, des « marchedons » bien huilés. (Je n'ai trouvé nulle part ce mot bien expressif.) Nous n'étions pas à l'âge du béton. J'ai encore la mémoire des pieds heureux de mon enfance et de leur contact sensible avec l'herbe humide et fraîche, avec la terre vivante et le doux sable des grèves.

28 janvier.

Laus Deo ! In Ipso enim, vivimus et movemur et sumus. À certains moments, nous avons l'impression délicieuse de vivre en Dieu et d'entrer dans la joie de toujours. Mais la raison est impuissante à comprendre cela. *Nonne cor nostrum erat ardens in nobis ?* disaient les Disciples d'Emmaüs. Dieu, plus intime en moi que je ne le suis à moi-même !

3 février.

Tempête de noroît, l'Empereur du Nord, le Tyran, et, pareil à Civa aux multiples bras, le Danseur ! J'écoute, songeur, les grandes orgues vociférantes de la Côte. Par crainte du feu, nos gens des Hauts seront inquiets, cette nuit. C'est l'isolement total et sans secours dans un pays sans chemins.

Je regarde une estampe de Ritsouo (Japon, 1622-1747) : Oiseau dans la neige.

4 et 5 février.

Je suis dans un passage difficile de ma pièce de théâtre. Il me faut jouer sur plusieurs claviers. Il y a au fond de tout cela un personnage mystérieux, une sorte de Diane chasseresse, embusquée parmi les mots et qui décochera son trait au moment que je ne m'y attendrai le moins.

6 février.

Beau soleil et très doux. Il me semble qu'il est plus facile à un vieil homme d'être bon. Il a l'expérience de la vie, une connaissance plus profonde des êtres, un jugement mieux équilibré. Il a connu ses heures de passion, de parti pris, d'injustice ; et tout cela a fini par l'apaisement, par le regret, par le pardon. Et maintenant, voici l'heure sereine de la compassion, de la tendresse, du sourire fraternel et du besoin de laisser la parole à Dieu.

10 février.

Longues lettres à François-Joseph Brassard, le folkloriste, à Luc Lacourcière, au Père Germain Lemieux, jésuite, qui défend avec opiniâtreté nos traditions populaires et les veut sauver là-bas, dans ces pays français d'En-haut où tant des nôtres ont passé.

Lettre à Mgr Louis Pichard, le savant latiniste. Il aimait venir à Québec. Je n'ai point oublié son très inconfortable appartement de Paris où il gelait « tout en vie », le pauvre homme. « N'enlevez pas vos manteaux ! » nous dit-il un jour. Puis, en bon Normand qu'il était, il nous réchauffa d'un cidre « goulayant, dret en goût et justificatif ».

27 février.

Je n'écris plus dans ce journal. Je suis accablé par la correspondance et toutes sortes de menues besognes.

C'est l'accélération du temps ! Cette concentration de l'énergie vitale sur l'en-avant permettra de moins en moins la réflexion, le retour de l'homme vers les sources de la véritable vie. Nous risquons tous de devenir bolides, sans mémoire. Et la grande Mnémosyne qui sait le grand secret des origines, gémit au-dedans de nous-mêmes.

29 février.

Cette pièce de théâtre me tourmente. J'oscille entre le doute et une certaine satisfaction. Il faut bien qu'un auteur s'encourage lui-même. Ce qui fait que, par endroits, je me bombe le torse et, sorte d'Artaban, je brave l'accueil qu'on fera à mon texte... Je me mens à moi-même car, au fond, je m'inquiète du sort qu'on fera à cette évocation d'un passé dont nous devrions être fiers.

1er mars.

Visite de mon cher frère Roger chez qui je retrouve tant d'idées et de sentiments qui sont les mêmes que chez moi.

Lettre du généreux ami Paul Desrochers qui voulut bien patronner la première édition de Menaud chez Charrier-Dugal. Quel grand cœur d'homme !

•

Je relis l'Exode et fais l'inventaire des habits sacerdotaux d'Aaron. Les Hébreux séjournèrent quatre cents ans en Égypte. Je pense aux trésors des Pharaons. Peut-être qu'en imposant son rituel à Lui, son or, ses pierreries, ses étoffes somptueuses, Jahvé voulait-il détourner son peuple des souvenirs de l'Égypte. Je ne sais. Et il y a le mystère de ce Moïse, presque égyptien lui-même et qui devait bien, tout de même, garder quelque piété filiale pour la fille compatissante de Pharaon...

Aujourd'hui, après tant de siècles, Hébreux et Égyptiens sont en face, les uns des autres, animés par une sorte de haine mortelle. Mystère que celui de ce vieux sang humain, abîme dont nous ne connaîtrons jamais le fond.

2 mars.

J'écris un mémoire pour la colonisation. J'ai retrouvé des notes que j'avais faites pour un *Abatis* II. Elles resteront là, inutiles... Car les temps sont révolus de cette grande œuvre. Toute l'attention, toutes les faveurs de nos gouvernants vont aux villes qui ne cessent de s'enfler, de bouffir, d'aggraver un gigantisme dont les exploiteurs profitent et dont les politiciens ne semblent point voir les conséquences fatales. Causé par les insatiables appétits de l'avarice, tel est l'aveuglement de la démesure (de l'υβρις, disaient les Grecs) devant les dangers de l'avenir.

6 mars.

Le bon Mgr Parent est ici et se repose. Il est bien fatigué. Je ne le questionne pas. Mais il me parle un peu de la fameuse commission qu'il préside et qui portera, hélas, son nom. C'est à contrecœur qu'il est entré dans cette aventure où de matois sociologues, structuralistes, profiteurs l'attendaient. Les augustes pères de la révolution, prédite tranquille, avaient besoin d'une barrette à pompon rouge pour coiffer cette machine à faire enfin des jeunes bien éduqués. Mon pauvre ami fut choisi. Il n'osa point refuser. Il en a beaucoup souffert. Je le sais. Il a tenté de sauver ce qu'il pouvait. Mais l'un des très rares soirs où il s'abandonnait, lassé, à des confidences, il dit : « Je suis écœuré ! ». Quand on connaissait la discrétion de l'homme, son intégrité intellectuelle et morale, sa charité, sa prudence, cet aveu voulait dire beaucoup.

•

J'ai rencontré, ces jours derniers, un curé en route vers le sud ensoleillé. Il était tout triomphant, comme aux portes du Paradis. Quand, du milieu de mes bancs de neige, je lui eus parlé du salut de tous les hommes, il m'a répondu, tout indigné : « Que faites-vous des pécheurs...? » Il en était encore au *petit nombre des élus*. Je lui ai répondu : « Qu'en savez-vous ? Vous n'avez donc point lu saint Jean : *Vidi turbam magnam quam dinumerare nemo poterat...* Vous damnez « *cette foule innombrable* » *!* Il m'a laissé là, avec l'Apôtre de l'amour, et s'est envolé vers de petits paradis bornés, égoïstes où je ne le suivrai certainement pas.

7 et 8 mars.

On me questionne sur Menaud, sur le séparatisme. C'est le mot magique ! Celui qui ouvrira au Québec les portes du bonheur et de la liberté. Mais je suis en face d'une balance politique. Je pèse le pour et le contre. Et dans l'un des plateaux, je mets nos frères d'Acadie, de l'Ontario-Nord, du Manitoba et bien des choses encore. Et même j'y ajoute cette Dalle-des-Morts où, par l'évocation d'un grand passé qui va d'un océan à l'autre, *a mari usque ad mare,* j'essaye de rattacher le Québec au Canada tout entier. C'est du sentimentalisme que je fais là, me dira-t-on. Mais c'est de l'histoire aussi. Et c'est le souverain privilège de la poésie de survoler l'histoire et de réunir, par ses ailes et par son chant, l'immense et le transcontinental.

•

J'ai déjà dit à des jeunes gens que, dans ce jeune Canada, nous avions une belle et saine liberté à inventer et dont nous pourrions proposer l'exemple au monde, si nous en arrivions à nous entendre, à nous respecter les uns les autres... à nous aimer comme des frères, qu'en vérité nous sommes, si et si et si...

L'idée me vient de composer un hymne à mon pays.

9 mars.

Quelle belle lettre m'écrit un ancien élève, Thomas Lavoie, un Saguenayen ! Quelle consolation pour moi que de lire le témoignage de ce jeune et très sérieux linguiste ! Il me gêne un peu de le citer : « Vos cours sur Villon et Claudel m'ont véritablement enchanté. À travers la sensibilité frémissante de Villon qui « rit en pleurant », vous nous avez livré votre profonde sensibilité, votre amour de la simplicité et des pauvres et des défavorisés... Vous nous avez communiqué votre amour pour la nature sous toutes ses formes... Mon frère Gilles qui poursuit des études en phonétique à Strasbourg fait une étude comparée du rythme et de la mélodie de votre phrase avec celle d'un écrivain français... »

Cette lettre fait honneur à mon disciple, en même temps qu'elle est la plus belle récompense que puisse recevoir un vieil homme.

9 mars.

Tempête de neige. La pire de l'hiver.

Je me chante la complainte de la Passion de Jésus-Christ que j'ai prise dans le *Romancero* de Marius et copiée dans mon carnet d'adresses. Il est bon de prier par le chant. Les mots prennent alors des ailes.

Ceux qui ont excommunié nos vieux cantiques sont bien coupables. J'avais proposé au curé de ma paroisse de faire chanter cette complainte après l'office du Vendredi Saint... On ne va pas à Dieu sur l'air du *Ça ira !* Il y a des trésors de compassion et de tendresse dans l'âme humaine. Et s'il faut aimer le Christ de gloire et de majesté, il y a Celui de la Croix et qui, *dixit* Pascal, sera en agonie jusqu'à la fin des temps.

10 mars.

L'ami Mark Donohue est venu dîner. Le projet d'une petite fabrique de papier artisanal semble lui plaire. J'avais, à la fin de certains cours où je n'avais plus rien à dire, montré à mes étudiants des papiers chinois et japonais. Ils admiraient là, dans les chinés semés de fleurs, le respect des Orientaux pour le verbe humain.

13 mars.

Je reviens de Québec où nous avons eu une réunion des missionnaires avec le ministre Alcide Courcy. Je l'ai trouvé sympathique. Des projets ont été proposés. Mais j'ai la nette impression que nous sommes à la fin d'une époque où les curés avaient leur mot à dire sur l'avenir de notre peuple. Les laïques de la tranquille laïcisation nous chasseront bientôt des écoles et de tous les lieux où les clercs avaient soutenu des principes et inspiré des œuvres qui assuraient la vie, l'ordre et le bonheur de la cité.

17 mars.

Fleuve enfin libéré de glaces.

•

Les animaux, pour mourir, vont se cacher dans des buissons épais. Ils ont la pudeur de la mort.

•

J'ai reçu, ce soir, de l'Université, la nouvelle que j'étais mis à la retraite. Mais quand donc y aura-t-il des chaires qui seront réservées aux hommes de 60 ans et plus ? Ils auraient encore beaucoup de bonnes choses à dire, il me semble. Mais comme la vérité et l'expérience peuvent être des vieilleries encombrantes, mieux vaut placer les hommes d'âge mûr dans les niches poussiéreuses de la retraite.

20 mars.

Je suis allé au service funèbre de la vieille sœur de Mgr Duchesne des Éboulements.

Alors que j'étais jeune clerc, je fus introduit dans cette noble famille paysanne. J'y retrouvais le pays de mes ancêtres Savard, la maison du bisaïeul Roger, dit Cyrus, la terre qui s'étendait du fleuve jusqu'à Saint-Hilarion et cette belle terrasse du Plateau, plantée de pommiers. Les ruines d'un cabestan ou virevau s'y voyaient encore, machine primitive dont on se servait pour remonter des grèves les chariots chargés de varech.

Le système seigneurial avait été aboli ; mais les Laterrière occupaient encore le manoir. Cette ample et belle demeure était remplie de souvenirs : tableaux, livres, meubles d'époque qui excitaient mon admiration. Que n'ai-je fait l'inventaire des objets d'une civilisation dont, naïvement, je croyais alors qu'elle durerait toujours ? Mais c'était la toute fin d'une époque historique de noblesse et de dignité.

La massive et blanche maison des Duchesne était située à deux pas du manoir. J'y connus le père et la mère de l'abbé, paysans racés parlant bien, pratiquant une hospitalité pleine de finesse et de bonhomie. Une vieille tante Corinne amusait la maisonnée de son esprit et de ses malices. Je me rappelle que plus tard et sans doute pour se venger de son célibat, elle nous apprit à Luc Lacourcière et à moi ce qu'on chantait à l'école de son temps : la *ronde des cocus*...

•

Autre souvenir que me revient : celui de la vieille église dont un dessin a été fait par Lismer, je crois. Au-dessus de l'autel bien ouvragé, était un rétable sculpté par Baillargé, une Vierge de l'Assomption : elle entrevoit le Ciel de son Fils. Ses mains sont sur sa poitrine, comme pour exprimer le sentiment ineffable, dilaté, de son maternel et divin désir : un pur chef-d'œuvre ! Or, lors de la construction de la seconde église — j'ai honte de le dire — le curé du temps le remplaça par une croûte et le donna au bedeau-menuisier, lequel charcuta l'ensemble pour en faire du bois de... châssis. Il respecta quand même la Vierge et deux Apôtres. Ils restèrent dans le galetas poussiéreux de sa boutique jusqu'au jour où Marius Barbeau découvrit le chef-d'œuvre mutilé et le confia à l'abbé Calixte Tremblay. Et c'est ainsi qu'il fut comme miraculeusement sauvé de l'incendie de la seconde église.

Cette Vierge — la plus belle, peut-être — du Canada français est aujourd'hui dans la sacristie de l'église neuve. Elle attend la restauration dans l'espoir que des mains pieuses la rendront, un bon jour, à l'admiration pieuse des fidèles.

4 mai.

Je reviens de Miami où j'ai passé trois reposantes semaines au motel de madame Blanche Simard, épouse de feu Jules Simard, sous-ministre de l'Agriculture, au Québec.

Le gérant de ce confortable hôtel est un Flamand, Jean De Smet. Si j'ai bonne mémoire, un Pierre-Jean De Smet (1801-73) fut missionnaire aux États-Unis et joua un noble rôle de pacificateur auprès des Indiens odieusement persécutés en ce pays. Mais le souvenir de ce lointain cousin flamand n'impressionne guère le Jean du manoir. Il est massivement agnostique ; par contre, assez renseigné sur la biologie, sur l'art qu'il pratique à ses heures, et, de surcroît, fin gourmet et excellent cuisinier. Pour résumer le portrait, je renvoie le lecteur aux *Dîners de famille* de Jacob Jordaens. Au cours des discussions prolongées et parfois âpres que nous avons eues, ce que mon Flamand ne pouvait prouver, par besoin, peut-être, de se rassurer lui-même et le vin aidant, il cherchait à nous l'imposer par la voix et par l'argument de sa taille prépondérante. Mais l'amitié qu'il avait pour moi, prêtre du Christ, ne fut jamais en cause ; et même qu'un jour où j'allais le quitter, il me dit : « À la vie et à la mort, je suis attaché à vous... » C'est que, dans la défense de ma foi, je n'ai jamais blessé l'ami dont le bon cœur, à mon égard ne se démentait jamais.

Celle que nous appelions grand-maman Simard, de descendance acadienne et femme issue de maintes épreuves, a été, pour nous, une hôtesse dont je ne saurais bien dire la bonté délicate, attentive et combien généreuse. « J'ai fait de la soupe pour vous, disait-elle... Demain, vous viendrez dîner... »

Je la revois encore, la très chère « grand-maman » dans sa cuisine et, dès le petit matin, revêtue de sa grande robe d'indienne, arrosant, pieds nus, les fleurs assoiffées de son jardin.

Au jour des adieux, alors que nous voulions la dédommager un peu des frais de séjour : « Ne parlez pas de cela, disait-elle... » Et cette dette s'est transformée dans mon cœur en affectueuse reconnaissance.

6 mai.

Vent du sud. Espoir qu'il pleuvra ; car la terre est sèche et la verdure hésite. Je travaille dans mon petit coin de chambre, et de temps en temps, je regarde, sur le fleuve, les eaux qui passent...

7 mai.

L'Ascension. Une dizaine de commandos scouts ont couché ici. Je les aime bien parce qu'ils sont disciplinés. Ils m'ont montré un film qu'ils ont fait sur Menaud. Ils sont allés voir la drave au pont de la rivière Malbaie.

9 mai.

Brèves réponses à des questions que m'a posées madame Julia Richer pour un article à paraître dans *La Presse* de Montréal.

13 mai.

Entrevoir Dieu au delà du tumulte, entendre son appel plaintif à travers le bruit que font les hommes ; l'aimer même dans ceux qui ne l'aiment pas ; se sentir seul sans Lui qui semble se retirer parfois...

•

À la suggestion de Luc, j'ai changé le titre de ma pièce *Les Voyageurs.* Elle s'intitulera *La Dalle-des-Morts.* C'est le nom d'une passe très dangereuse du fleuve Columbia. Benoît Brouillette en parle dans son beau livre : *La Pénétration du Continent américain.* J'ai suggéré à monsieur Brouillette de rééditer cet ouvrage, de même qu'à un ami, de traduire le livre de Grace Lee Nute, intitulé *Voyageurs* et publié par la Minnesota Historical Society. Il y a, dans ces deux textes une bien vivifiante nourriture pour nos jeunes.

14 mai.

C'est 40° ! Et l'âme gémit par la voix de tous ses bourgeons.

Ma pauvre petite poésie... elle s'aventure sur des routes où la seule science des phénomènes ne peut aller. Et parfois, elle atteint des profondeurs si délectables qu'elle ne trouve plus de mots pour les dire. Et alors, elle chante Alléluia !

tout comme les Arabes chantonnent Allah... Al... Ilah... aux confins du silence, au pas lent de leurs chameaux dans l'infini du désert.

25 mai.

Rêvé, toute la nuit. J'étais à bord de ma petite imagination spatiale. Je faisais escale à l'Alpha du Centaure ; je soupais quelque part dans la Nébuleuse d'Andromède ; je dormais dans un Quasar quelconque comme un pacha d'Orient. Au réveil, je me suis essuyé le front ; et pour sortir de ce lumineux quadrillé de parallèles dont l'homme ne comprendra jamais l'étendue, j'ai fait une petite prière et résumé ma géométrie cosmique à ce « *grand carré qui n'a pas d'angles* » dont parle un vieux Sage chinois.

26 mai.

C'est 45 °, ce matin. Et des brouillards blancs coiffent la montagne. C'est « le beau et doux printemps » mais celui de la chanson...

Réfléchi sur les sens. On peut fermer ses yeux mais non ses oreilles, non son nez. Ces portes demeurent ouvertes. Celles des odeurs surtout. Il en est qui lèvent le cœur, donnent la nausée. Mais il y a les parfums. Il en est de virils !

de sauvages, de puissants ! Ceux de la forêt des résineux au printemps. Ils dilatent et vivifient l'âme elle-même. Au Moyen-Âge, les plantes aromatiques avaient une valeur comparable à celle de l'or : cannelle, patchouli, galbanum, ylang, jasmin, rose absolue. On en trouve d'étranges dans la Sainte Écriture : *Odor filii mei... Phialas aureas plenas odoramentorum... Variis odoribus delectatur cor... anima...* Et ce vieil adage : mourir en odeur de suavité ! Saint Thomas d'Aquin dégageait, paraît-il, une odeur d'encens tandis que sainte Thérèse d'Avila exhalait un parfum d'iris et de jasmin. La sainteté de l'âme avait une odeur de suavité... Par contre, il y a, dans la parfumerie sensuelle, de ces parfums composés grâce auxquels les femmes mènent les hommes « par le bout du nez ». Mais, satis ! là-dessus.

27 mai.

Luc L. m'envoie la gentille préface qu'il a faite pour la Biobibliographie que publiera la sœur Thérèse-du-Carmel. Elle a pieusement recueilli, compilé tous les documents où apparaissait mon nom. Il me faudra faire un grand acte d'humilité.

29 mai.

Au lac à l'Islet avec les amis Dufour. Le printemps dort encore sur les montagnes, sur les hauteurs du lac à Félix où j'aimais marcher dans les sentiers de caribous et dans un air si exaltant que toute l'âme y reprenait ses ailes et sa liberté.

•

Dans un monde de plus en plus massivement, lourdement, inhumainement technique, c'est à l'Évangile qu'il faut revenir.

1er juin.

À mesure que nous dévalions des hauteurs, nous descendions vers le printemps et les jeunes feuilles des trembles étaient toutes illuminées, toutes frissonnantes de joie et de soleil, et je suis rentré chez moi parmi les pommiers en fleurs. Ils bourdonnaient de guêpes et de bourdons tout revêtus de l'or des pollens. Et l'oiseau-mouche faisait la cour à toutes ces merveilles. Nous aurons donc un été...

3 juin.

Il me revient au cœur ce que le gardien du Lac à l'Islet m'a raconté au sujet de la drave telle qu'elle se pratiquait autrefois. Je n'ai rien inventé de ces misères dans Menaud. Quelqu'un m'a dit que j'étais... un révolutionnaire ! Mais il est juste de l'être par moments. Je n'ai pas oublié la litière froide des draveurs et leurs cheveux frimassés par la glace des camps d'autrefois.

5 juin.

Réunion de notre société de colonisation.

J'ai dîné avec un jeune Acadien, René Leblanc, ancien élève. Il m'a parlé de l'abbé Sigogne, un grand missionnaire, mais janséniste à l'extrême et prêchant si ardemment la peur du diable que des gens s'en allaient à l'intérieur des terres et même dans les bois pour échapper à l'Antéchrist qui, disait-il, devait passer le long de la côte. Les Bostonnais de la Nouvelle-Angleterre furent autrement plus redoutables que le diable pour ce pauvre peuple.

6 juin.

Lettre-réponse à une amie d'enfance à Chicoutimi : Aline Alain-Caron. Elle ne m'a jamais oublié. Je lui ai envoyé des myosotis et lui ai rappelé le temps où nous allions voler des pommettes dans le jardin de mademoiselle Mairon Tremblay, vieille dame de grande distinction qui portait toujours un ruban de velours noir autour du cou. Ainsi madame J.-D. Guay, Maria, l'amie de cœur de ma mère et combien d'autres... Ces dames du temps jadis, formées par les Ursulines ou les religieuses du Bon-Pasteur, si profondément chrétiennes, si vaillantes, si nobles par les manières, le langage, ces sages vieilles mères, que diraient-elles du débraillé des mœurs d'aujourd'hui ?

7 juin.

Il y a ces pommiers et leur blanche et odorante profusion de fleurs. Et c'est beau comme un matin de noces : noces des arbres et de la terre. Mais dans le *Life* de cette semaine, ô dérision ! il y a la photographie d'un ossuaire... Ossements ! crânes aux orbites vides, rictus de la mort ! Horreur que tout cela ! Mais qui fait un peu comprendre le besoin tragique de l'amour, de l'œcuménisme de l'amour. Mais combien d'hommes mourront avant que les Églises se soient réconciliées. Il y a tant de fronts durs, bardés de thèses implacables. J'ai peur. Toutes les nations ont peur.

L'Évangile d'aujourd'hui était celui de la 99e brebis, et de cette fête, dans le ciel, autour de « *l'uno peccatore pœnitentiam agente* ». Les anges autour de cette brebis retrouvée, les petites tapes d'affection, les baisers sur la petite tête bêlant son retour au bercail éternel ! Ce n'est point l'homme qui a pu inventer pareille scène.

8 juin.

J'attends aujourd'hui Cécile Cloutier, mon neveu Roger et le professeur Jean-Paul Plante, lequel m'a envoyé soixante-douze questions en désordre. Ce gros monsieur veut m'embobiner... Je me trouve bien naïf. Où s'en iront donc mes pauvres réponses ? Ce que j'ai à dire, je le veux par ma plume. C'est mon instrument de vérité. Il m'est docile. Il s'arrête au besoin, me donne le temps de réfléchir, de peser mes mots. C'est dans les livres qu'il faut chercher l'écrivain.

10 juin.

Nous avons veillé, Jean Desgagnés, Roger et moi sous un pommier en fleurs. Le soir était chaud. J'avais revêtu ce kimono japonais brodé d'or et de dragon, que j'avais acheté pour lire *Connaissance de l'Est,* de Claudel. Il me semblait alors qu'ainsi paré, je pouvais mieux entrer dans ces pages somptueuses. Il y a en moi un vieil oriental qui s'éveille, par moments. Mais c'est du mandarinat que je fais ici... J'aimerais mieux retourner au pied de la grande montagne, au bord de la grande rivière de mes draveurs. Là, sont les dragons du pays et les images de la liberté.

13 juin.

Il me semble que ma pièce de théâtre n'a pas tellement plu à mon neveu Roger. Et pourtant, il m'a semblé à moi que cela était grand, au moins par le sujet. Mais on peut se faire tant d'illusions ! Malgré quoi, je ne veux pas me sentir vaincu.

14 juin.

J'ai expédié hier au Père Martin mon *Menaud* dernière forme. On ne saura jamais ce qu'a été pour moi ce livre où je marche vers une source pure, située sur les hauteurs de mon pays. Ce texte, je l'ai maintes fois revécu, puis repris, puis corrigé. Il m'a fait battre le cœur et si fort parfois que j'ai dû m'arrêter. Il a subi diverses interprétations selon les goûts et les humeurs de chacun. Mais l'écrivain est seul, seul. Et sans se troubler de ce qu'on dira de lui, il marche vers son idée, vers la grande nature, vers les grands souvenirs de sa patrie, suivi, par moments, par quelques-uns de ses frères, ceux que le fardeau du grand passé n'a pas écrasés.

15 juin.

Je pense, ce matin, à ceux de mes frères, jeunes surtout, qui vont mourir sur les routes. Et le prêtre ne sera pas là pour leur dire : Je t'absous au nom du Christ... Ils seront damnés ? Non, je ne puis croire cela. Par respect pour la miséricorde de Dieu qui les grondera, peut-être : « Tu as été fou ! Tu n'as pas eu soin de la vie que je t'avais confiée... tu mériterais la fessée... »

Ainsi, moi, pauvre pécheur, j'ai pitié de tous mes frères, parce que, par ma chair, je sais ce qu'ils sont. Et Dieu, Lui, n'aurait pas pitié ? *Misereor,* a-t-il dit. Le problème de l'Église, c'est celui de la Rédemption par le Christ : rédemption non réservée à un petit nombre, mais étendue dans toutes ses mystérieuses dimensions divines et universelles.

19 juin.

Je me suis réveillé tôt avec ce désir de ma symphonie du *Misereor.* Les grandes orgues y étaient. Et le cœur me battait fort comme celui d'un chef d'orchestre. Tout cela, après pleurs et gémissements de la créature humaine, s'en allait, montait enfin vers la prophétique parole de saint Jean, l'Apôtre de l'amour : « *Vidi turbam magnam. J'ai vu une grande foule de toute nation, de toute langue...* » Oh ! la sublime musique qu'il y aurait à faire sur ce thème !

21 juin.

Apaisé, je travaille dans le *Romancéro acadien* de l'ami Dominique Gauthier. Que de belles chansons que le musicien Roger a relevées avec conscience et science extrême.

Mais la langue est souvent fautive. Ce qui me fait croire que dans la chanson populaire, c'est la musique, c'est le sens et le mouvement de la musique qui survolent tout, qui emportent tout. Je n'ai pas oublié le cher vieux Ben Benoît de Tracadie et la douce ferveur de ses modulations lyriques et des ouvrages ou dentelles de sa voix dans certains thèmes : *La Belle est en prison d'amour,* chantait-il. La Belle... l'âme, sans doute...

25 juin.

Je suis chez les Jésuites de Villa Manrèse pour ma retraite. Il fait beau et chaud. Silencieux et devant les paysages un peu désolés de mon âme, j'ai longuement regardé les arbres dans leur frémissement du soir, et écouté le chant toujours recommencé des grives.

26 juin.

Brûlante méditation sur l'enfer. Saint Ignace, le guerrier d'Espagne, ne parle que de feux, que de poix, que d'effroyables senteurs. Je n'ai point le cœur de tisonner tout cela. J'ai déjà dit à une bonne sœur que l'enfer était un grand lieu d'amour, de l'amour séparé, inconsolable. Mais elle fut scandalisée de mes propos. Il y a, dans l'homme, un secret instinct de pitié, de tendresse qui n'aime pas les carbonnades.

Il n'y a qu'une ardente, désespérée peine d'amour qui puisse donner une idée de l'enfer.

27 juin.

Sermon sur la Visitation ! Scène sublime, consolante, toute de lumière et de fraîcheur, enfin : *Voici la Servante du Seigneur ! Qu'il me soit fait selon votre Parole !*

28 juin.

Et maintenant, c'est la Paix. Dans ce beau soir d'été, dans la réconciliation entre le Père et le prodigue repentant. Je rêve à quelque chêne, comme celui de Mambré, où j'ai reçu la visite du Seigneur. Et je me suis endormi dans les douces ombres et parmi les ramages de l'Espérance.

1er juillet.

Sur le hasard. Mot d'origine arabe az-zahr et qui veut dire jeu de dés. Et c'est avec les dés du hasard que jouent les agnostiques. Mais ils ont soin de les piper. Il faut toujours piper quand on s'attaque à Dieu. Il faudrait donc, dans l'immense océan des nombres et des possibles, la rencontre fortuite, amoureuse de deux dés, l'un mâle, l'autre femelle et parfaitement ajustés l'un à l'autre. Et ce serait, sur quelque lointain sable de fantaisie, sous les palmiers complices, la parfaite, l'intelligente scène d'amour : « *Faisons l'homme... mais non plus à notre image et ressemblance*... Chant nuptial de l'intelligence dé-iforme ! Les deux bébés humains seraient nés de là !

Et c'est ainsi que l'aveugle athéisme pratique aboutit aux hypothèses les plus tristes ou plutôt les plus congénitalement farfelues.

3 juillet.

Visite aimable de deux jeunes ornithologues : Daniel Cholette, fils de Gaston et Denis Hamel, fils de Pierre. La conversation prend des ailes. Il est consolant de voir des jeunes s'intéresser à ce qu'on appelait, de mon temps : les petites sciences !

5 juillet.

Je médite sur ce texte du savant Louis de Broglie : « À tous égards, ne croyez-vous pas que la beauté de l'œuvre d'art est, bien plus que la simplicité des parties, cette sorte d'harmonie globale qui donne à son ensemble un aspect souverain d'unité qui traduit, dans un tout, une sorte de condensation sous la forme matérielle d'un seul élan de pensée. La beauté des théories scientifiques est, selon moi, de même nature ; elle jaillit lorsque, dominant les calculs et les raisonnements, se retrouve une idée centrale qui unifie et vivifie le corps de la doctrine. » J'ai déjà dit à des jeunes : « Cherchez le centre... »

19 juillet.

Hier, à dîner : Mgr Parent, l'abbé Bégin, Jean-Denis Gendron, Léopold Lamontagne. Conversations papillonnantes. J'avais, dans la tête, des idées pour ma symphonie du *Miserere*. Mais je les ai toutes refoulées dans une sorte d'arrière-boutique cérébrale d'où elles ne sortiront peut-être jamais plus...

23 juillet.

Je reviens de l'Équerre, lieu-dit de la rivière Malbaie, pays de Menaud, où j'étais depuis quelques jours avec les amis Paul Desrochers et Léonard Demers. Paul semblait heureux. Quel cœur d'homme, quelle délicatesse, quelle générosité ! Quant à monsieur Léonard Demers, je le vois encore, en canot, ouvrant les bras vers les montagnes : « Il ne faut pas être seul, ici, me dit-il. C'est si beau que ça déborde... Alors, il en faut un autre, à côté de soi. » Il m'a, en partant, fait cadeau d'un gobelet sculpté dans une loupe de bouleau. En mémoire du gobelet de l'Alexis de Menaud.

24 juillet.

Très beau. Lumière parfaite sur l'étale de haute mer. J'aime ce moment de douceur et d'équilibre. C'est comme un Sabbat des eaux. « Nous retournerons bientôt vers les sources du fleuve. Mais nous reviendrons. C'est notre loi de vibration ou de balancement. Mais, ne crains rien. Il est une ligne que nous ne franchirons jamais. C'est Dieu qui l'a fixée... » Ainsi m'ont parlé les eaux. Et j'ai médité sur ce texte liquide, avec une sorte de balance providentielle devant moi.

25 juillet.

Je retourne à ma Dalle-des-Morts. Il faut qu'elle soit finie pour la fin d'août. Mais je me sens le cerveau vide. Je dors mal. Je fais des rêves fous. Et c'est avec cette machine qu'il faut se remettre au travail chaque matin...

J'aimerais mieux, paisible et... végétal, m'asseoir tout paisiblement parmi mes plants de tomates, mes fèves et les fleurs papilionacées de mes gourganes. Le potager est, sans professeurs, une sage école d'ordre, de vie et de beauté. Et il accorde des diplômes que, malheureusement, les universités ne reconnaissent pas. Quand donc y aura-t-il des docteurs ès tomates, ès gourganes, ès laitue, ès toutes plantes potagères, vivrières ?

31 juillet.

Je reviens de Québec où je fus invité à un grand dîner doctoral en l'honneur de monsieur Auguste Viatte et de Peyre. À cause de ma surdité parmi ce tapage de paroles, on a dû me trouver peu aimable. Et puis, ma pensée n'était pas à table.

Je me suis souvent reproché mon ingratitude à l'égard de monsieur Viatte. Il a publié dans la *Revue des Deux Mondes* (1er avril 1951) un bel article intitulé *Un Mistral canadien, Mgr Savard.* Je n'en croyais pas mes yeux. C'était bien la première fois qu'une grande revue française faisait tel honneur à un écrivain canadien « resté authentiquement et obstinément français ». Ce diplôme m'est bien cher et m'oblige.

Cher Auguste Viatte, qui êtes un savant homme de lettres et qui avez beaucoup fait pour notre Université Laval, l'humble paysan que je suis vous rend, trop tardivement sans doute, un profond et reconnaissant hommage.

Il me revient ici une idée. Pourquoi le Québec n'accorde-t-il point une médaille d'or aux grands écrivains français qui l'ont reconnu, aimé et servi ? Et pourtant, *Je me souviens,* dit-elle, les mains jointes. Et de qui et de quoi te souvient-il ? ô mon pays.

1er août.

L'émerveillement devant la vie. Il y a celui de la raison qui ne se renouvelle guère, quand même. Mais il y a une sorte d'émerveillement poétique et enfantin... Il est le plus profond. La Sainte Écriture, parlant de la Sagesse, a une expression qui m'a toujours frappé : *Ludens in orbe terrarum...* J'ai parlé quelque part, dans l'*Abatis,* des *jouets* de la connaissance... Mais aujourd'hui ce sont des jouets souvent mortels qu'on met entre les mains des enfants.

•

Des jeunes me demandent d'expliquer la folie de Menaud. Ce que j'ai déjà fait cent fois. Ce que Josime, le sage ami de la terre, entend dans les paroles de mon draveur, c'est un *avertissement,* une sorte de prophétisme où, avec les données du présent, un dangereux avenir conséquentiel est prévu. Et ce prophétisme vaut encore aujourd'hui. Mais les esclaves de l'argent et les Déliés ne l'entendent pas...

•

Déjà, ce penchant vers l'automne ! Mgr Parent, les abbés Lorenzo Roy et Émile Bégin sont venus dîner. L'ami Bégin a guillotiné certaines têtes de notre intelligentsia québécoise.

2 août.

Je suis entré, sans trop le vouloir, dans une succession d'ébauches poétiques ; et je ne sais comment expliquer cela qui balbutie et n'a que quelques mots où il faudrait une musique.

Ainsi : Cet amour d'attente longanime du Père pour le fils prodigue... ce patient regard sur la route de perdition...

Mais ce beau matin-là que, recru de misères,
Le fils des nuits d'enfer apparut repentant,
Sans rien qui pût attrister le retour, son Père :
« Je t'attendais, dit-il, ô cher et doux enfant. »

Puis, avec le soleil qu'il fait, c'est le poème de Dieu me présentant une parfaite rose et me demandant de trouver le nom qu'elle portait,

« au jour du grand éveil
alors que s'ouvrait
son premier cœur de rose à son premier soleil ».

J'ignore à quoi aboutiront ces idées. Tout ce que je sais, c'est qu'il faudra éviter l'amplification oratoire, ce grossissement mortel à la poésie. En rhétorique, autrefois, on apprenait le fameux vers mnémonique :

Quis ? quid ? Ubi ? Quibus auxiliis ? Cur ?
Quomodo ? Quando ?

Et ce vers donnait toutes les clés de l'éloquence à laquelle le poète doit *tordre le cou.*

3 août.

Il a plu, plu, plu, avec cet *u* comme une bouche ouverte.

•

Le musicien Roger est reparti hier avec le 3e mouvement de son Concerto. Il a grand-hâte de le terminer.

4 août.

Le soleil est revenu. Je fais une petite balade sur cette route vers l'intérieur qui portait autrefois le nom de route à Roger Savard, mon bisaïeul. La maison ancestrale ressemble à celles que Cornelius Krieghoff a peintes. (Voir sa toile intitulée Merry-making.)

•

Il y a comme des mains au bout du regard. Devant les douces et harmonieuses collines de Saint-Hilarion, j'ai l'impression qu'avec mes yeux, je les caresse comme on fait de belles vaches aux fesses arrondies, aux pis ballant de lait. Les vaches sont la crème des bêtes. Que de monuments les hommes ont élevés à toutes sortes d'êtres, mais ils n'en ont fait aucun qui exprimât sa reconnaissance à la vache nourricière et maternelle.

•

J'attends un vers très doux. Il est là, quelque part au fond de moi-même et dont, pour pleurer ou chanter, aurait tant besoin la musique de l'âme.

5 août.

Lettre au conservateur du Royal Museum de Toronto pour lui demander l'autorisation de reproduire le tableau de Paul Kane : La Dalle-des-morts.

•

Reçu hier du Père Yvon Daigneault, sulpicien, une bien belle lettre au sujet de *Menaud*. Je ne veux pas la citer... Je pourrais dire ici ce que m'avouait un curé : « Moi, mon fort, c'est l'humilité... » Mais l'orgueil et sa petite sœur, la vanité, ont de secrets documents dont l'écrivain est jaloux et qu'aux heures de doute, il aime à relire.

7 août.

Ce soir, dans *Le Devoir,* grand éloge de l'Horoscope de Roger : « Science inouïe de l'orchestration... » Lui, à son tour, il a eu la tentation de vanité. Il m'a, en effet, téléphoné pour me citer cet article. Je dis vanité. Le mot est trop sévère. Car, à l'artiste créateur, il faut un écho dans l'âme de ses frères. C'est un stimulant indispensable.

•

Je viens de terminer un petit poème : *Rêves jacobins* que je ne publierai point car il est plein de malice. Il commence ainsi :

Tout Français porte en lui, en sus de la raison,
Sa propre république et sa révolution...

Et cela se termine sur les tristes jacobins du Québec, lesquels,

Regrettant les beaux jours de nos scalpeurs indiens,
S'en vont chez les curés, levant des chevelures
Qu'ils pendent en désir à leurs braves ceintures...

•

Dans *Le Devoir* d'hier : « Le professeur G.P. Alivisatos, honoraire à l'Université d'Athènes, devant un auditoire de quelque 400 sociologues et psychiatres réunis à Berne, a parlé de l'industrialisation à outrance, source de traumatismes répétés. Le déracinement, la rupture brutale avec le milieu traditionnel, la concentration de l'habitat et l'abandon du contact avec la nature, les mauvaises habitudes alimentaires, la monotonie enfin et le manque d'initiative dans le travail sont autant d'éléments préjudiciables à un bon équilibre de l'esprit humain... » Le diagnostic est parfait. Je suggérerais à notre illustre faculté des Sciences sociales d'inviter ce sage professeur Alivisatos...

11 août.

Visite du docteur Marcel Lapointe de Chicoutimi. Possédé par le démon de la poésie romantique, il a des alexandrins tout plein le corps. Le pire est que la bonne santé de son inspiration est, par endroit, fort à craindre... eût dit Molière.

12 août.

Dans la *N.R.F.* du 1er juillet 64 : *Théâtre bonheur-malheur,* ce texte de Claude Roy : « À quoi sert le dôme de

Saint-Pierre de Rome, demandait Delécluze à Stendhal ? — À faire battre le cœur, répondit celui-ci. »

•

« Men are in the darkness of a world without demonstrable purpose or order » (Professor W.T. Stace, *Atlantic Monthly,* Sept. 1948).

•

Il y a une fantaisie que j'aimerais écrire. Elle serait à deux volets. Le premier serait le sublime Café de Flore sur la Place Saint-Germain. Il y aurait les tables où, buvant et devisant, seraient attablés des curieux, des poètes, des philosophes, des truands. Et Sartre étant le moteur de l'absurde, toutes ces machines rondes se mettraient à tourner, chacune jalouse de son propre mouvement et chacun de nos intellectuels avinés enrageant d'avoir raison. On voit la scène d'unanimité dans le désordre. C'est le concert du *tohu-bohu* d'avant la Genèse.

L'autre volet représenterait Notre-Dame de Paris, avec ses longues files de fidèles affamés, assoiffés d'ordre, de beauté, de Dieu. Et, alors, les rosaces, les orgues, le chant séculaire, les pierres sacrées à parfum d'encens, les voûtes spiritualisées par une sorte de saint désir, tout enfin ramènerait les âmes vers le Christ, divin Centre de l'unité.

L'irréductible ennemi du matérialisme, le génial et presque saint Péguy eût aimé cette fantaisie que je ne puis hélas qu'ébaucher.

17 août.

Le Père Paul-Aimé Martin, directeur de Fides, est reparti ce matin. Nous avons longuement repassé ensemble les conditions de l'édition au Québec : faibles tirages ; piles d'invendus ; auteurs réduits à la portion congrue. Il n'y a que les manuels de classe qui soient rentables. Mais c'est une chasse-gardée !

18 août.

Scripsit Le Dantec dans son Avant-propos aux œuvres de Verlaine : « Je m'obstine à n'accorder qu'une valeur accidentelle aux prétendues biographies — trop humainement exactes pour rester poétiquement vraies — qu'une mode indiscrète a répandues, depuis quelque vingt années, sur le cercueil de ceux qui détiennent le dangereux privilège de la gloire. » La remarque est juste. Mais à « mode indiscrète », il faudrait ajouter impudique, car elle va jusqu'à déculotter les morts.

20 août.

Je reviens de l'Île-aux-Grues que mon neveu Roger Lemoine m'a fait connaître. Paysage bucolique et même homérique, avec ses vaches du soleil dans les prairies marines. Elles y descendent avec la marée baissante et remontent avec le flux. Et le vieux fleuve barbu de vert est comme leur vacher. On voit d'autres îles inhabitées. En face, c'est le Cap Tourmente et cette montagneuse Côte Nord si belle au couchant.

Nous avons visité le manoir des Lemoine. Inhabité, il n'est plus qu'un souvenir de l'époque seigneuriale. J'ai admiré les grands arbres qui rappellent les paysages de Corot.

Quels lieux pour un roman qui serait celui de la solitude ! J'imagine une femme séparée de son amour durant les longues tempêtes d'hiver, recluse, inconsolable, elle est en proie aux tourments de son cœur dans cette grande demeure aux chambres abandonnées.

Le propriétaire actuel est Gabriel Vézina. Il tient, à l'autre extrémité de l'île, l'Auberge des Dunes. C'est un charmant homme, poète à ses heures et qui reçoit avec politesse, générosité, à l'ancienne mode. Il mériterait d'être appelé seigneur de l'île.

22 août.

Je suis allé au Cap-aux-Oies. Le Phare y est gardé par monsieur J.-X. Perron, père de mon neveu Jean-Roch. En face, c'est le courant du Taureau. J'ai assisté au carrousel des marsouins. Les belles blanches bêtes qui semblent aimer l'homme, faisaient la roue dans le soleil. La Fontaine a écrit (fable IV, 7) :

... Cet animal est fort ami
De notre espèce...

Les voyant émerger avec une sorte de gueule en sourire, et replonger, je me suis rappelé le grand chasseur Boulianne de la Pointe-aux-Alouettes. J'avais sur lui des notes que j'aimerais bien retrouver. Au temps où je fréquentais la maison d'été du Séminaire, j'allais causer avec cet homme extraordinaire, cependant que, dans ce qu'il appelait « sa bouillerie de marsouins », il me racontait ses aventures périlleuses dans les courants du Saguenay.

23 août.

On me demande parfois : « Est-ce un roman que vous écrivez ? » Or, je n'ai point le goût d'écrire des romans. Les librairies en regorgent. Et quelle réclame on leur fait pour appâter les lecteurs. Il en est d'absolument noirs et sans issue. La plupart exploitent les plus bas instincts de l'homme : adultères, fornications, etc., et sur la bande publicitaire desquels il faudrait écrire :

Lasciate ogni speranza voi che entrate...

Je suis sévère. Et pourtant, lors de mes expéditions folkloriques en Acadie, j'eus l'idée et même le désir d'écrire... un roman : celui de l'amour et de la mer. Les lieux qui m'avaient inspiré étaient, au bout de l'Île de Shippagan, la Butte aux

Pigeons (en français : Pigeon Hill...). C'était simple et acadien. C'était le grand amour très pur au bord de la mer « toujours recommencée ». Ce mot de Valéry devenait le signe de l'amour tel que je l'aime et qu'il doit être...

Puis, ce projet, comme bien d'autres, s'est perdu dans les brumes, ou peut-être a-t-il fait naufrage sur ce mortel écueil que les Acadiens appellent : *Banc des Orphelins.*

24 août.

Nuit de beuglants : phares et navires. Le bon Père Lauréat Turcotte, père de ma ménagère, plante des iris et des pivoines que le docteur Rosaire Gingras m'a gentiment envoyés.

•

C'est Québec-congrès. Il en est de sérieux. La plupart sont d'ordre touristique et les hôteliers font des affaires d'or. Aux congrès, succèdent les commissions dites royales. Elles travaillent à grands frais pour les tiroirs du gouvernement, là où l'on inhume les idées. Mon cultivateur et ami du Plateau me disait hier avec tristesse : « Toutes les terres s'abandonnent... » On n'y cultivera bientôt plus que des thèses.

31 août.

Ma fête ! Je naquis à Québec, rue de la Couronne, dans un logis où il y a, aujourd'hui, un restaurant, lequel est à l'enseigne d'un Oiseau... Cette maison était la propriété des Nadeau. Ma famille y résida deux ou trois ans. Le seul souvenir qui m'est resté est celui d'une tête d'orignal qui m'apparut un jour dans une fenêtre. Mais que faisait donc, à Québec, cette bête que, plus tard, je jugeai prophétique.

4 septembre.

Ce soir, des scouts qui sont venus voir Menaud coucheront au pied de la Basilique (ou montagne du lac à Basile), là même où, avec le fils de Josime, Oscar, je plaçais ma tente. Alors, certains beaux soirs, à l'heure où les laïcs s'endorment, j'immobilisais mon canot, et avec mon burgau d'écorce je chantais à pleins poumons les notes du *Salve Regina.* Et les échos de la Basilique semblaient se plaire à les répéter. Que d'heures ineffables j'aurai, grâce à Dieu, vécues dans ma vie ! Elles ont, même dans les lieux les plus sauvages, immunisé ma Foi. Ma théologie bien écourtée, n'a eu de vrai *maître* que la sainte Présence de Dieu qu'il m'a été donné d'entrevoir — selon le mot de mon petit catéchisme d'enfance : *Partout !*

5 septembre.

Dans la brume, collision de deux navires en face de la Pointe à Roger Savard : Trois morts ! C'est triste. Mais qu'arrivera-t-il quand d'énormes vaisseaux chargés de mazout s'éventreront dans notre fleuve ? Ce sera la pollution totale, déjà commencée. L'appétit désordonné de l'argent tuera tout : les hommes, l'air, les eaux, les bois. Il faudrait un soulèvement, une sorte de révolution de toutes les forces humaines qui veulent vivre — « Tu ne souilleras point le pays que Dieu a donné à tes Pères... »

Moi, je serai depuis longtemps dans la terre. Mais puisse mon cri de révolte se faire entendre à ceux qui viendront après moi.

•

Des lettres m'arrivent, inattendues, naïves parfois, de tous les coins du pays. Menaud vit encore, non point dans les journaux éphémères, mais dans le cœur de beaucoup de jeunes. Et où pourrait-il se trouver mieux ? Comme à l'abri du présent, des idées et des modes d'aujourd'hui... Comme en un chaud refuge de vie et d'amour et d'espoir. Comme à la racine d'un cri vers la liberté. Cette pensée me réconforte.

•

Un échantillon de certaine prose dite savante : « La résolution de l'historicité du devenir, ou plus exactement de l'événement en tant que négatif actuel ou possible, a lieu dans *la magie lucanienne* grâce à la *technique fondamentale* du *de même que,* avec laquelle le *ainsi* d'un certain *moment négatif concret* et du *désir corrélatif* de l'éliminer est rituellement repris dans une *exemplarité mythique résolutive...* »

Ce *lucane* coléoptère à fortes mandibules me fait peur ! Ô cher socio-philosophe qui écriviez ce jargon, étiez-vous quand même Français ?

6 septembre.

Réponse à l'ami Jean De Smet et à grand-maman Simard m'invitant à passer le mois de novembre à Miami : « Ça ne vous coûtera que le billet d'avion... » On ne peut être plus généreux. Mais, à cause de mon travail, j'hésite à faire le voyage.

25 septembre.

Luc est revenu d'Athènes et nous avons longuement parlé de la Grèce où j'aurais tant aimé aller. Pensant aux chœurs des tragédies grecques, un dégoût terrible de ma *Dalle-des-morts* m'a pris. Cette conversation m'a, une fois de plus, donné l'ennui de la chère Méditerranée classique.

Lorsque je la découvris — c'était à Ostie — je me mis à genoux et m'abluai de cette eau de gloire, d'eau d'Homère, de Virgile, de Mistral... comme pour une sorte de baptême intellectuel. Et combien de fois ce souvenir m'est revenu. Mais il ne s'agissait plus d'Ulysse ni d'Énée, mais d'humbles gens de chez nous que j'avais trouvés grands parce qu'au prix d'incroyables Odyssées, ils avaient découvert et nommé un grand pays. Mais ce sont ceux qu'on appelle les Anciens et qui sont les Grands de toujours qui me les ont fait admirer, les miens de ma patrie.

26 septembre.

Sur Pagnol. Madame Germaine Guèvremont m'apprit un jour que Pagnol s'intéressait à mon œuvre et à la sienne et qu'il eût aimé faire un film sur le *Chenail du Moine,* et même sur *Menaud...*

J'aurais été heureux de rencontrer ce grand homme si profondément humain, et qui sut faire, avec ses paysans provençaux des chefs-d'œuvre de naturel, de simplicité, de poésie.

J'avais déjà lu, de lui, dans la *Revue des Deux Mondes* (1er avril 1951), sa traduction de la IIIe Églogue de Virgile suivie de ses notes et commentaires. C'est qu'il « entendait bien le latin », ce Marius de la Cannebière...

Or, au temps que j'apprenais à latiniser, j'avais essayé de traduire en vers français le 6e Chant de l'Énéide. Oh ! c'était là ce que pouvait être un travail d'écolier. Mais, plus tard, devenu, par la grâce de Dieu et les besoins de l'époque... professeur de Belles-Lettres, et approfondissant les choses, je vis que la langue latine, grâce à la flexibilité de sa syntaxe, permettait d'entrevoir, au-dessus du texte écrit, des sortes de paysages complémentaires suggérés par le rapprochement des mots. C'était un autre Virgile en somme, un Virgile émané de sa langue, un nouveau Virgile... voulu ? non voulu ? fortuit ? je ne sais, mais où j'entrais moi-même avec mes propres et chères visions. Ainsi, par exemple, m'apparaissaient les premiers vers de la Première Bucolique :

Tityre, tu patulæ recubans sub tegmine fagi
Silvestrem tenui musam meditaris avena...

Patulæ, c'est la large épaisseur et comme le toit (*tegmine*) que fait un hêtre. Et là-dessous, je me couche (*recubans...*). Et alors, c'est la Muse des bois (*sylvestrem... musam*) qui m'inspire, et je m'exerce ou module sur mon petit chalumeau (*...tenui... meditaris avena*).

Méditant ces deux vers, c'est mon enfance qui me revient, alors qu'au printemps, jeunes Tityres, nous fabriquions de petites flûtes d'écorce de saule.

Et c'est ainsi qu'au-dessus du texte inspirateur, je trouvais un sur-texte fantaisiste, un peu, peut-être comme un mirage, mais d'où émanait comme une vapeur de charme et de poésie.

Je m'explique mal, sans doute. Mais quel commentaire il y aurait à faire de cette grande poésie de la nature que nos Cégeps ont exilée. Pagnol, le paysan génial, avait compris cela, lui... Quel Menaud n'eût-il pas poétisé !

27 septembre.

Visite du grand géographe Deffontaines. Je l'ai conduit dans le pays de Menaud, aux bords de la rivière Malbaie et jusqu'à la Coulée Girard. Les bois d'automne étaient somptueux. On ne saurait imaginer plus riche nature. Aussi, fallait-il voir le ravissement de notre ami. Il était tout exclamations ; et moi, fier de mon pays, je pensais que s'il est trop longuement sévère, il a des heures de gloire qui font oublier les rigueurs des neiges et du froid.

15 octobre.

Tandis que Roger terminait son Concerto, je corrigeais mes dernières notes sur la Dalle-des-Morts.

•

Lettre à mon neveu Roger LeMoine sur le verbe intérieur. Il y a telle forme que nous portons (j'insiste sur ce mot) durant des jours et des jours et même durant des nuits. Et puis, un beau matin, l'idée est tout heureuse de son fruit. Ce qui ne veut pas dire que l'écrivain l'écrira telle qu'il l'eût désiré.

18 octobre.

Fête de Luc, à qui je téléphone mes vœux.

Le grand problème du Concile ! Les Pères ont leur laissez-passer d'éternité. Ça va... Mais leurs frères, eux ? « J'ai, dit le Seigneur, d'autres brebis encore qui ne sont pas de cet enclos... » (S. Jean 10, 16). C'est ce problème de bergerie beaucoup plus ouverte qui animait le bon Pasteur Jean XXIII.

21 octobre.

Tempête de neige sur les hauts. En route pour Québec avec Régina, j'ai dû rebrousser chemin sur la côte à Mimi. Et maintenant, au seuil impromptu de l'hiver, j'ai la tête pleine de neige et de bourrasques. Et tristement, je regarde avec envie s'enfuir vers le soleil les oiseaux migrateurs. Il n'est, hélas, pour l'homme, point d'autres ailes que celles du désir.

22 octobre.

Lettre au Père Benoît Lacroix, au sujet de son *Petit Train*. Il est savant médiéviste, ami d'Irénée Marrou. Ce qui ne l'empêche pas de jouer avec ses jouets d'enfance. Alors que toute une littérature sent le moisi, le rance, la pourriture, il est consolant de voir un théologien cultiver entre les plates-bandes austères de la scolastique, les fleurs de sa jeunesse.

Son nom me ramène ici le souvenir d'un autre Dominicain, le Père Régis. Il fut mon élève. Se rappelle-t-il qu'il m'apportait des écureuils vivants que je gardais comme compagnon de chambre ?

•

J'ai retrouvé dans le *Carabin* de Laval (4 octobre 1951) un article où l'ami Jean Ménard exécutait Paul Claudel. Je donnais alors des cours sur *Connaissance de l'Est,* et j'étais devenu farouchement claudélien. Le papier de Jean me déplut. Et je lui fis une malicieuse épigramme décalquée de celle de Villon. La voici :

> Lorsque Ménard, bourreau patibulaire
> Menait au Carabin, Paul Claudel l'âme rendre,
> À votre avis lequel des deux tenait
> Meilleur maintien ? Pour le vous faire entendre
> Ménard semblait homme qui mort va prendre,
> Et Paul Claudel fut si ferme vieillard,
> Que l'on cuidait, pour vrai, qu'il menât pendre
> Au Carabin, son bourreau Jean Ménard.

Cette épigramme intrigua fort l'ami. Je lui dois ici de révéler mon nom, et de lui offrir mes excuses.

23 octobre.

Vu, à la TV, le visage de Sartre-Nobel, le prophète de l'absurde. Il m'a rappelé celui d'un personnage du Jugement dernier : exactement le malheureux qui se bouche un œil avec sa main.

24 octobre.

J'ai passé la soirée dans le Livre de Josué. Les massacres y sont horribles. Tous : hommes, femmes, enfants, y passent au fil de l'épée. Dans toute cette tuerie, il y a certes des événements trop cruels pour que Dieu en soit l'instigateur. Il y a, dans les Saintes Écritures, beaucoup de passages qu'il faut enjamber pour retrouver la paternité de Dieu.

Ce qui est évident, pour nous, Chrétiens, c'est que le Christ-Jésus a purifié l'Ancien Testament. C'est avec son sang qu'il a lavé la sainte Image de Dieu.

•

Souvenirs.

Alors que j'étais professeur de rhétorique, à Chicoutimi, j'allai quelquefois à Québec pour juger les épreuves du baccalauréat. Québec ! ma ville natale, mais qui me semblait lointaine, séparés que nous en étions nous, du Royaume du Saguenay par les barrières d'une immense forêt.

Ces Messieurs du Séminaire de Québec m'en imposaient beaucoup. Je me sentais auprès d'eux terriblement provincial. Des écrivains, historiens, théologiens régnaient là, de même que les chefs politiques et les hauts mainteneurs de l'orthodoxie.

Un jour, Mgr Camille Roy vint nous visiter à Chicoutimi. Un événement ! Mgr Camille était homme de parfaite distinction et l'Aristarque de nos lettres. Pour encourager nos auteurs, il administrait la critique avec les onctions d'une extrême indulgence.

Il a écrit, par contre, d'excellentes et solides pages qui révèlent l'éducateur cultivé et perspicace qu'il était. Je conseillerais à nos structuralistes d'aujourd'hui d'aller mettre leurs trombines dans les écrits de ce noble seigneur.

À Chicoutimi, à cette époque, fleurissait la poésie. *L'Alma Mater,* notre petit journal de collège, est tout piqué de poèmes. Je contribuai innocemment à cette prolifération. Et de même, l'abbé théologien, Alfred Tremblay, sous le pseudonyme de Derfla. Une édition de ses œuvres était en projet.

On avait prié Mgr Roy d'en écrire la préface. Il vint la présenter à Chicoutimi. Et on lui fit un fraternel accueil.

•

Tandis que je suis dans cette matière lyrique, il me plaît de rappeler que nous eûmes à Chicoutimi un poète-forgeron. Et pourquoi les forgerons ne le seraient-ils pas ? Or, ce Pierre-Paul Paradis avait écrit une sorte de poème épique qui s'intitulait : *Les Funérailles de l'Amour.* Des mécènes régionaux en avaient payé l'édition. Un critique de Québec, (Adjutor Rivard ? ou Camille Roy ? je ne sais plus) en parla. Des malins récitaient ces funèbres alexandrins nés au son de l'enclume et du marteau. Le soufflet de cette forge poétique eût mérité l'honneur d'être conservé dans un musée saguenayen ; mais qui se souvient de notre Pierre-Paul Paradis et des *Funérailles de l'Amour ?*

•

Pour en revenir à Québec, nous, les héroïques correcteurs, logions dans les chambrettes du Grand Séminaire. Elles étaient loin d'être des lieux de tout confort et repos. De hautes lucarnes donnaient bien sur le fleuve ; mais placées en contrehaut des yeux, il fallait un escabeau pour y monter.

Tandis que j'imaginais ce que pouvaient être là, pour de jeunes clercs, les drames de l'ennui, mon compagnon de correction se consolait de ses insomnies en prenant un verre ou deux de chartreuse.

C'est alors qu'un soir où, dans les longs corridors ombreux, j'errais en songeant à la nuit prochaine et à... Mgr de Laval, je rencontrai un abbé de taille imposante, et vêtu, pour la canicule, d'une soutane de soie. Il m'invita à entrer chez lui. L'homme était charmant. Après s'être informé de mes goûts, et pour me réconforter, il me fit jouer la *Symphonie héroïque* de Beethoven.

•

Devenu plus tard, par une sorte de miracle académique et peut-être aussi, grâce à *Menaud,* doyen de la faculté des lettres de Laval, je flairai quelque chose d'injuste dans la mise au rancart du cher abbé. Et alors, munis du *placet* de Mgr Parent, Lacourcière et moi, nous allâmes lui offrir la direction de l'enseignement de l'histoire à la faculté. Nous savions que, sans être un historien chevronné, il voyait loin dans le passé, ne refusait pas le présent, s'inquiétait de l'avenir, et que, pourvu d'une fort belle culture, il était l'homme qui s'imposait pour diriger cet enseignement universitaire qui venait de naître.

Mais, hélas, la chicane qui suivit, nourrie de passions mesquines, empêcha, dégoûta plutôt notre abbé. Ce grand monsieur avait un tort : celui de croire à une entente possible et souhaitable entre Canadiens des deux races. Ami de la famille Michener de Toronto, il fut victime de ce qu'on appelait alors la bonne entente.

La dernière fois que je le vis, c'était au Cap Rouge où il avait une paisible retraite. C'était un beau soir, et je le trouvai assis sous un érable, mystérieusement illuminé par une lampe d'éclairage et lisant. Parmi les ombres et sous les hauts feuillages tutélaires, il semblait goûter les apaisements de l'heure et de l'âge.

J'ai gardé de Mgr Arthur Maheux une belle, une exemplaire image : celle d'une âme noble dont les épreuves ne troublaient plus la sérénité.

25 octobre.

Fête du Christ-Roi.
Pilate : *Rex es tu ?*
Jésus : *Tu dicis...*

Pilate, agnostique, inquiet parmi les cris de la Synagogue, s'évade peureusement dans une sorte d'abstraction légale. Il demande : *Quid est veritas ?* C'est encore la question des sceptiques. Mais nous savons, nous, chrétiens, la sublime réponse enfin faite homme et qui résume la *voie,* la *vérité,* la *vie* et le temps et l'éternité.

26 octobre.

Parfois dégoûté ou lassé ; et par moments, tête vide, je me dis à moi-même que je n'écrirai plus. À quoi bon ? Point final. Et puis, voilà qu'un beau matin, je recommence, comme si le pouce et l'index avaient un invincible besoin de marcher...

J'ai retrouvé ces notes écrites au printemps dernier : C'est juin et tout est verdure, fleurs, oiseaux ; et tous ces êtres, miraculeusement sortis du long hiver, voilà qu'ils sont autour de mes pages blanches et qu'ils me parlent : « Dis-nous ! Écris-nous ! C'est le devoir de ton intelligence ; c'est celui de ton cœur. Pour l'admiration, pour la reconnaissance, Dieu t'a fait la grâce de participer à son verbe. Il t'a insufflé l'amour des consonnes et des voyelles, et, en plus, le respect des grandes traditions de ta race, et même l'inquiétude de son avenir...

« Et surtout, il y a des âmes qui retrouveront peut-être Dieu parmi tes signes. C'est cela qui vaut d'écrire. Que les jugements des hommes ne te troublent donc point. Contente-toi de ceux de ta conscience. Elle sera témoignage devant Dieu. »

30 octobre.

Dans le grand vent de l'automne et du temps, c'est la chute des dernières feuilles. Elles font un bruit sec sous les pas. Un bruit qui fait penser.

Il est tombé trois pouces de neige sur les hauteurs. Les mésanges sont revenues. Il y a, dans ces petites têtes à barrettes noires... comment donc appeler cette faculté ? Une sorte de mémoire, sans doute. Car, après des mois d'absence, elles reviennent tout droit au saindoux dont je les approvisionnais l'hiver dernier.

31 octobre.

On me dit que les jeunes ne lisent plus les vieux maîtres. Et alors, c'est la pernicieuse anémie intellectuelle qui sévit. Ou, pire : c'est la corruption. Car, dans tous les kiosques à journaux, pullulent les petites feuilles de pourriture où l'on étale toutes les variétés et tous les arts du crime. Et les plus bas instincts y trouvent pâture, suggestions, images provocantes, incitatrices. En somme, tout ce qui sert à dépraver les âmes.

On ne lit donc plus ce qui vaut et vaudra toujours d'être lu et assimilé : les vieilles vérités de toujours, i.e. celles qui furent vraies dans le passé, et le seront dans les siècles à venir.

Ainsi, dépourvue de viatique, tignasse au vent, sans savoir d'où elle vient puisqu'elle ignore l'histoire, sans prévoir où elle va, s'avance une jeune caravane dans le désert des illusions hallucinantes.

Que font donc les maîtres d'école, leurs guides ? Il en reste des bons, sans doute. Mais les meilleurs sont les moins écoutés.

Las ! ce qu'on me dit sur l'éducation m'accable d'inquiétudes.

La Toussaint.

Salut à cette innombrable et glorieuse tourbe qu'a vue l'Apôtre : « Vidi turbam magnam quam dinumerare nemo poterat... » Salut à nos morts ! Je me chante le cantique de mon enfance alors que l'espérance chrétienne avait ses ailes d'allégresse... qu'on a rognées aujourd'hui.

De la Foi, on peut descendre à ses éléments constitutifs. Et Dieu sait s'ils sont nombreux et même personnels à chacun. Mais de ces éléments on ne peut passer à la synthèse organique de la Foi, là où, mystérieusement, opère la grâce de Dieu.

Mais ici prenons garde que ce qui peut paraître de minime importance pour quelques-uns peut-être vital pour d'autres. Dieu, pour nous ramener à Lui, se sert souvent des plus menus détails du culte et de ce que je pourrais appeler les meubles de la Foi.

La ballade de Villon pour prier Nostre Dame le prouve bien. Le pauvre truand a soin de faire parler sa mère :

« Femme je suis povrette et ancienne,
Qui rien ne scay ; oncques lettre ne lus.
Au moustier voy, dont je suis paroissienne,
Paradis paint où sont harpes et lus,
Et ung enfer ou dampnez sont boullus... »

Dieu s'est donc servi de ces images pour *combler* de foi la mère et le fils repentant.

Avis aux zélés iconoclastes, démolisseurs, destructeurs, vandales qui font le grand ménage de nos églises et traditions religieuses !

2 novembre.

J'ai prié pour tous les chers défunts, ceux qui m'habitent encore et les autres aussi.

•

Idée de variations à écrire sur le *Benedicite, omnia opera Domini, Domino...* mais où il y aurait la nature de mon pays.

3 novembre.

Ces jours derniers, à la TV, le professeur André Renaud, de l'Université d'Ottawa, a parlé de *Menaud*. Et très bien.

Il est curieux de voir une œuvre, écrite il y a près de trente ans, survivre à sa génération, s'accroître dans le présent, devenir fertile en toutes sortes d'idées et de sentiments inattendus de son auteur.

4 novembre.

Ciel pâle, soleil bas, hésitant. Chaque matin, je m'éveille surpris, et me demande ce que c'est que la vie.

J'écarterai le bruyant, le fou, l'impur et toutes ces idées qui empoisonnent notre monde. Je chercherai la vie que Dieu créa dans l'ordre.

5 novembre.

Problème : le mélange des sangs. Problème des identités devenues, avec le temps, dissemblables, raciales, linguistiques, politiques et même religieuses.

Ma mère était Ida Gosselin, née de Nathalie O'Neill. Elle appelait ma mère : *Aïda,* et m'écrivait : « *Dearest grandson.* » Cette affectueuse lettre, je la conserve ; elle me parle au cœur... en langue anglaise. Et alors c'est une compréhension plus profonde de ce que je suis ; c'est une remontée vers les temps lointains où les sangs étaient unis, vers l'époque des liens fraternels, familiaux. Puis, les querelles sont venues, que les intérêts ont enflammées. Elles dorment parfois sous la cendre.

Dearest grand-son... Puis-je renier cela, cet amour de Mary-Ann O'Neill ? Le souvenir du sang est naturel. Je voudrais respecter mon sang ; sang pluriel mais que seul l'amour peut conjoindre encore.

6 novembre.

Il pleut, pluviotte, pluvine. Lettre de René de Chantal, directeur du département d'études françaises de l'Université de Montréal. Il m'invite. J'ai fixé cet entretien au 16 décembre.

•

Je réfléchis sur les mains. La définition de l'homme par Aristote me revient en mémoire : *Homo habet rationem et manus*. C'est ce qui nous différencie des animaux.

Il y a la main droite du matin. Elle sort des rêves bizarres de la nuit, des pays de l'enfance et parfois, du pays des morts. Que de mains revenues se sont tendues vers les miennes !

Il y a la main droite du jour avec les jambes encore gourdes de ses deux doigts. Puis, elle se met à marcher avec sa plume quotidienne. Elle court, par bouts, comme si, chargée d'un lourd bagage d'idées impatientes, elle voulait rejoindre le temps qui fuit devant elle.

Il y a la main du soir, un peu lasse, hésitante et traînante et qui souvent s'endort en pianotant sur certains mots.

Il y a les deux mains implorantes qui se lèvent vers en haut, et puis s'étendent comme des ailes d'amour et de bénédiction sur la tête de mes frères ; et parfois, moi, pourtant pécheur indigne, j'ai cru voir, marquées par le sang du Christ mes deux pauvres mains faites moins pour la plume que pour les grâces rédemptrices du pardon.

7 novembre.

Le bruit de la route humaine est si intolérable que j'ai peine à croire que ce sont des hommes qui passent.

Vers le soir, ces bruits d'enfer sont entrecoupés d'heureux ciels de silence. Et alors, reviennent les anges pour me consoler et m'abreuver l'âme de cette eau « de petra altissima » (Sagesse 11, 4) qui me donne l'avant-goût de la paix éternelle.

8 novembre.

Grand soleil sur gelée blanche.

Dans *Le Devoir,* un ex-père jésuite fait de la casuistique à propos de *Menaud* qui, selon lui, ne va nulle part. Et vous, cher père, où allez-vous donc ? Vous me faites le reproche d'a-religion... Que faites-vous de *La Minuit,* de *Martin et le Pauvre,* de la *Symphonie du Misereor* et de cent autres endroits où affleure le saint nom de Dieu ? Je m'en fiche de votre thèse. Ce n'est pas avec elle que le Christ me jugera. En attendant, cher confrère, je vous conseille de lire la cinquième Provinciale de Pascal.

9 novembre.

Sur ce thème : j'écarterai de moi le bruyant, le fou, l'impur et toutes ces idées qui empoisonnent notre monde. Je chercherai la vie que Dieu a créée dans l'ordre, celle qui durera jusqu'à la consommation des siècles. Je me consolerai de mes inquiétudes en regardant ces belles jeunes têtes — car il en est encore — qui poussent dans les jardins de la famille de Dieu et je chanterai le chant vainqueur de l'espérance.

Je relirai la parabole du Semeur. Je vois bien l'ivraie envahir les champs de mon pays ; mais je ne l'arracherai point avec mes paroles, de crainte de saccager la moisson. Faites,

Seigneur, que je montre, au-dessus de l'ivraie, les beaux épis qui montent du sol inquiet de ma patrie !

11 novembre.

Jour de l'Armistice. Couronnes au pied des monuments ! Discours où les millions de morts sont les seuls à ne point parler. Je réfléchis sur les tristes passions des hommes et, dans la forêt paisible de mes souvenirs, je marche à petits pas survolés d'une musique de concordance, de consonance, d'harmonie. Et, à droite et à gauche de ce sentier de paix, j'écoute le contrepoint des mousses, des fougères, des fleurs. Et dans la tranquillité de l'ordre, par moments, je me récite la prière de saint François d'Assise que maman m'avait apprise :

Seigneur, faites que je sois un instrument de votre paix ;
Et que là où il y a haine, je sème l'amour,
là où il y a injustice, je sème le pardon,
là où il y a doute, je sème la foi,
là où il y a désespoir, je sème l'espérance,
là où il y a ténèbres, je sème la lumière,
là où il y a tristesse, je sème la joie.

12 novembre.

Petite neige de nuit. Je travaille dans mon petit coin de chambre où règne l'intimité. Et les pensées vont et viennent dans les buissons de mon cerveau. Et parfois, je suis comme égaré dans les forêts du langage. Si je pouvais dire les choses telles que je les vois, les ressens et les souffre !

J'ai laissé là, pour quelque temps, ma *Symphonie du Misereor*. Et je bourlingue dans un petit poème sur l'enfance, Il est moins funèbre que mon cimetière d'Acadie.

Je pense que si je me remettais à écrire des vers, des alexandrins, disons, cela pourrait aller. Il y a une sorte de moteur dans le vers traditionnel. Et qui tourne rond, parfois, et qui ronfle. Là est le danger. Les recueils de poèmes sont pleins de ces moteurs qui font des ratés, cafouillent, toussent, broutent, cognent, calent...

Il y a bien le vers qu'on appelle libre. Mais libre de quoi et de qui ? J'en sais qui se font avec de la prose et des ciseaux. Et Dieu sait si, sans me vanter, je pourrais en faire !

•

Il y a le premier regard de l'homme sur les êtres. C'est l'instantané. Il porte le germe qui féconde l'esprit du savant, du poète. Il peut être, en face du beau, le long regard longtemps immobile de la contemplation silencieuse et recueillie. Comme si l'œil ne se pouvait rassasier de voir la lumière, les couleurs, les lignes, les ombres. Et ce peut être, avec la grâce de Dieu, le regard fraternel de François d'Assise.

Le regard second est intérieur et dans la mémoire. L'art étant articulation de l'imaginaire, c'est alors, pour le poète, le travail ouvrier qui commence.

La Fontaine a tout résumé dans l'admirable fable du *Statuaire et la statue de Jupiter* :

> *Un bloc de marbre était si beau*
> *Qu'un statuaire en fit l'emplette...*

Et le voilà qui regarde, jongle, contourne, va, revient, poussé par un mystérieux instinct.

Les possibilités entrevues dans ce noble matériau sont nombreuses, autant que les puissances de l'artiste.

> « *Qu'en fera, dit-il, mon ciseau ?*
> *Sera-t-il dieu, table ou cuvette ?*

Puis, soudain, c'est le coup de foudre :

> *Il sera dieu...* »

Mais ce dieu est prisonnier de sa gangue ; il veut être délivré, il appelle... Et le sculpteur, armé du ciseau, de l'ébauchoir, de la gouge s'est mis à l'œuvre... et

> *... si bien*
> *... qu'il ne manquait rien*
> *À Jupiter que la parole...*

Voilà qui est bien pour Phidias, Praxitèle et combien d'autres... Mais moi, je n'ai que ma pauvre plume pour libérer mes songes. Et ce matin, dans ce brutal, impitoyable vent de novembre qui ricane en abattant les dernières feuilles, je me plains : « Que fera ma plume des chères et belles fleurs de l'été ? Elles sont pourtant encore là, enracinées dans le terreau de ma mémoire. Et même, elles se sont remises à fleurir, plus chères et plus belles encore, embellies qu'elles sont par le regret, le désir ; et elles me parlent de vie, de beauté, de saisons, de destin... de mort. Qu'en pourrait faire ma noire plume d'écrivain ? C'est là, le drame.

J'ai le souvenir d'une source merveilleuse dans le champ de mon enfance. Elle était encadrée de cèdre. Elle avait un bel œil bleu et semblait me regarder. Combien rafraîchissante elle était pour la chair et pour l'âme ! Elle m'est souvent en moi-même réapparue ; elle me suggérait des mots de source, un poème, sans doute, mais las ! que l'âge a tari.

13 novembre.

Lettre au collègue Jean Duberger sur le poète-vache, sur la sagesse de la vache. On la peut voir, cette sagesse, même dans le rythme lent, précieusement mesuré de son pas. Avec quel soin de son lait elle descend, le soir, des hauts pacages ! alors que nous, les hommes, nous nous précipitons follement dans les pentes, sans égard à la vie que nous portons. Quand il s'est agi de refaire notre dangereuse côte des Éboulements, j'ai dit à un certain ingénieur de la voirie qu'il savait bien des choses, mais qu'il n'avait jamais regardé comment les vaches descendent les pentes abruptes.

•

J'ai fini mon petit poème : *Je voudrais retourner aux lieux de mon enfance*. Les deux dernières strophes sont venues un peu d'elles-mêmes. Mais il faudra voir demain ce que cela vaut. Mon juge intérieur rira peut-être de ma naïveté.

3 décembre.

Revenu hier soir de Québec où j'étais allé entendre la première du *Concerto pour deux pianos et orchestre* de l'ami Roger Matton. La pièce, admirable, fut fort bien jouée par les duettistes Victor Bouchard et Renée Morissette. L'accueil du public fut triomphal. Dans ce concerto si savamment composé, au déchaînement des sombres puissances telluriques succèdent des chants d'une grande douceur. Cette œuvre ira loin. Combien pauvre je me trouve quand j'écoute une telle musique et que je retourne à mes humbles moyens, à mon clavier de lettres !

4 décembre.

Il y a des lieux d'enfance où l'on revient toujours et c'est là qu'on meurt, je crois.

5 décembre.

Petit nordet qui monte porter sa cargaison de neige... à Québec. Je jongle.

•

Lointains idéals de la transcendance, qui sont au-dessus des hommes et qu'heureusement les hommes ne pourront jamais polluer : religion, amour, patrie, humanité, science, poésie...

Lointain, sublime idéal de la Beauté dans la splendeur de l'ordre !

Lointain, sublime idéal de la Bonté diffusive !

Lointain, sublime idéal de la pure Vérité !

Par delà les temps, les modes, les contestations, les souillures, ô saint sanctuaire des Transcendantaux, dans le souverain calme bleu des montagnes éternelles ! Chaque jour, je voudrais monter vers vous, refuge, lieu de ma pensée, séjour de ma paix, sanctuaire divin où je contemple ma ressemblance originelle, où, tout humblement, je balbutie les alléluias de ma future, éternelle jubilation !

6 décembre.

Lettre au vice-recteur Bonneau, de Laval, pour le féliciter de son discours. Je lui suggère de former un conseil de vigilance composé non des seuls évêques, mais d'universitaires chrétiens, pères de famille surtout, de toutes disciplines ou facultés.

•

Une démocratie sans libre sénat s'expose à toutes les aventures.

7 décembre.

C'est parce qu'ils sont métaphysiciens que beaucoup de jeunes sont volontiers révolutionnaires. Alors, il faut s'efforcer de monter jusqu'à eux.

•

Mort d'un voisin du Plateau. Famille de solitaires. Le fils ne dit jamais mot à personne. J'ai déjà essayé de lier conversation avec lui. Mais vainement. C'est un cas qu'il serait intéressant d'approfondir. Sa mère l'avait voué au célibat. Elle déchirait les pages de catalogue qui montraient des mannequins à poitrines tentantes. C'est pourquoi ce célibataire nostalgique a les yeux sombres et de plus, assombris par deux épais sourcils de pudiques poils noirs.

8 décembre.

Fête de l'Immaculée. *Ave Maria !*

Le Christ, étant Dieu, n'avait besoin de personne pour nous sauver. Mais il n'a pas voulu ce faire sans la femme, comme s'il avait craint d'être incomplet sans le cœur, sans les pitiés, les tendresses d'une mère.

Me revient le souvenir du lac à Basile, aux confins de Charlevoix. Certains beaux soirs, j'embarquais dans mon canot, et devant la Basilique je chantais note à note le beau *Salve Regina* des Trappistes. Et la haute montagne, devenant pieuse, répétait l'hymne à la Vierge.

J'ai souvenir aussi qu'à la Pointe-aux-Alouettes où, jeune clerc, j'allais passer quelques jours, mon cousin, l'abbé Thomas Tremblay qui avait une fort belle voix, chantait, après la prière du soir, le cantique : *L'ombre s'étend sur la terre.* La foi de cette époque se fortifiait de musique douce, plaintive, inspirée par un sentiment d'amour et de tendresse. L'âme des chrétiens avait le sens de l'exil et, sans renoncer aux devoirs de la vie terrestre, gardait une saine nostalgie faite d'espérance.

Toute une musique consolante et sacrée a été proscrite, remplacée par d'insipides musiquettes que la mémoire se refuse à retenir.

•

L'ami Roger est parti ce matin. À la houppée. C'est un mot qu'employait ma grand'mère Racine pour dire profiter de l'avantage, du sommet ou houppe d'une vague.

9 décembre.

Le bon Mark Donohue viendra dîner. Il a, m'a-t-il dit, des nouvelles au sujet d'une fabrique de papier fait main. Nous enverrions l'artisan Georges Audet chez De Bas, à Ambert en Auvergne où il ferait son apprentissage.

C'est un grand rêve artisanal dont j'entrevois la réalisation prochaine ; et mes idées travaillent déjà à la forme et à la cuve.

13 décembre.

Sur le fleuve montent et descendent les premières glaces.

Lu et relu cette entrevue donnée par un ex-bagnard à un journaliste du *Devoir.* Il est devenu paria, le pauvre ! Exilé dans son pays. C'est notre égoïsme qu'il accuse. Il n'est donc pas de rédemption pour ces malheureux. Quel drame à écrire : celui du rejeté sans rémission !

20 décembre.

En route pour Montréal et Ottawa. Train surchauffé, bondé. Nous allons dans le brouillard. Gros bourgeois, cigare au bec ; dames mûres bien fourrées. Quelques jeunes portent des croix. Ils font la leçon aux curés. Un couple qui n'est pas satisfait de sa nuit fait l'amour. Il y a des visages qui ne font que sourire. D'autres sont ravinés. Les chagrins, les larmes y ont fait leur lit. Tandis que passent les villages, les arbres comme des abstractions ou de vagues pastels noirs et blancs, je m'amuse à regarder devant moi la faune humaine et je vois des loutres, des castors, des chats sauvages... Idée folle d'un poème alors que, surgi, le soleil révèle les écritures de la neige et du vent. Un poète de chez nous a, paraît-il, écrit, lors de la construction du Grand-Tronc, un poème intitulé *La Grand' Tronciade.* Pourquoi n'écrirais-je pas sur des rails d'alexandrins, la... *CNRéide ?*

21 décembre.

L'accueil à Ottawa fut des plus gentils. Les Pères Guindon et Quirion, le bon ami Paul Wyczynski m'ont fraternellement reçu. Quant aux étudiants, ils m'ont accueilli avec chaleur. Je craignais, imaginant une jeunesse allergique à mes propos. Mais je faisais erreur. Ce contact m'a fait du bien, donné espoir. Un vieil homme a besoin de rencontrer des jeunes. Ils le rajeunissent.

Quant à mon neveu, professeur, Roger Lemoine, il a été pour moi, toute prévenance et délicatesse. Chercheur, observateur souvent silencieux, il travaille avec grande conscience dans les textes souvent méconnus de nos anciens auteurs. Il voit les petits côtés et s'en amuse. Son esprit n'a rien de méchant. Je n'ai guère la compétence pour le suivre en tout, mais son besoin de vérité me plaît beaucoup.

22 décembre.

Et voilà que, là-haut, tournent et tournent les blancs rouets de l'hiver, filant, filant la neige, enveloppant les montagnes de Charlevoix, couvrant les bois, les champs et... ma frileuse pensée.

Une petite mésange inquiète volette autour de moi.

Silence et blancheur. Je regarde tourner les dévidoirs du ciel ; et de cette image pure et candide, l'âme se revêt comme d'un vêtement de purification.

25 décembre.

Noël ! Et c'est l'entrée dans l'enfance de l'âme.

Le Christ n'a renié ni Moïse ni les Prophètes. Mais il a purifié l'Ancien Testament de ce qu'il avait de trop humain. Il a sorti l'âme de la Palestine et nous a montré la véritable Terre Promise dont l'ancienne n'était que la figure.

•

Nous vivons dans les déterminismes de plus en plus nombreux et même violents de la science. Le voyage de l'homme dans le temps ne se fait plus comme autrefois. Mais l'accélération d'aujourd'hui exige une vue plus claire, plus constante et parfois soudaine et tragique du but ultime de la vie. Et l'âme doit se tenir prête à affronter l'improviste et à paraître devant son Dieu.

•

L'avenir du monde, depuis qu'on renie l'Évangile, n'a jamais été aussi trouble. Mais, « Il y a deux mille ans dans la petite Judée, des hommes comme nous ont eu le sentiment qu'ils vivaient avec un Être qui participait de la façon la plus étroite à ce que l'on concevait de la solidité et de la plénitude de l'éternel... Toujours, jusqu'à la fin des temps, le feu qui a été allumé en Palestine continuera de brûler... » (Jacques Perret, de la Sorbonne, *Semaine des Intellectuels catholiques.* 1963).

30 décembre.

Alors que s'achève l'année, j'ai, dans la mémoire, des obsessions de peinture et de fresques. Mais il ne m'est resté qu'une plume entre le pouce et l'index. J'ai quand même consigné depuis quelque temps des pensées parfois saugrenues sur divers sujets. J'ai donné à ce manuscrit encore informe le titre de *Carnet du Soir intérieur.*

31 décembre.

Cy finit, avec l'année, ce *Journal et Souvenirs.* Et pour le prochain, qu'il me soit fait, Seigneur, selon ta très sainte Volonté !

•

SOUVENIRS

Souvenirs ! Ce qui sous-vient, par moments, aux heures de solitude où le présent s'efface dans les tristes brouillards de l'heure. Alors, à pas feutrés, s'en vient la mémoire, sorte de fée que les angoisses de la vie ne troublent plus. Et voici qu'elle a fait revenir, vivants et parlants, des personnages du plus lointain de mon âge : « Tu nous croyais morts, me disent-ils ; et nous ne faisions que sommeiller en toi. » Alors, je les regarde avec regret ; je les écoute qui me rappellent certains beaux jours où j'aimerais être encore.

ERNEST RENAN

J'ai relu, ces jours-ci, par curiosité, ses *Souvenirs d'Enfance et de Jeunesse.* Je ne connais pas ses autres œuvres. Je n'ai, d'ailleurs, point la science exégétique pour m'y risquer, et je ne veux point troubler ma Foi.

Ces *Souvenirs* parurent en 1883. Ils furent salués par de grands éloges : « Je ne sais s'il existe en français une plus belle page de prose » déclare Flaubert parlant de la Prière sur l'Acropole. « Ce vieillard sceptique et comblé d'honneurs formait la loi et les prophètes. Son style même était universellement loué » (Bertrand Dunoyer, 1973).

Cette fameuse Prière est, à maints égards, bien décevante. « Ambiguïtés d'un style... Tout cela sent l'huile et le pédant... Une chose enfin nous gêne : ce qu'on pourrait appeler le renanisme du style » (Bertrand Dunoyer). « On entend par ce terme, écrit Jean Pommier, dans le domaine des idées religieuses, une sorte de critique corrosive et fervente, qui abuse des mots, nie et admet en même temps, détruit les dogmes et nourrit la foi, abat les religions et exalte le sentiment religieux [...] Le renanisme ainsi défini est le plus énergique dissolvant qui soit de la rigueur de l'esprit. »

Quant à moi, j'admire l'Acropole et le Parthénon. Mais je ne les ai point regardés du même œil que Renan. Et même j'ose dire que, eût-elle parlé, la Sage Athéna eût ramené notre pèlerin au bon sens... à la vérité : « Voyons ! voyons ! mon petit Breton, né de parents que tu dis barbares, il n'est pas de bon ton de renier les tiens pour m'aimer... Si tu as confiance dans ma ΣΩΦΡΟΣΥΝΗ ou Sagesse, écoute un petit conseil : Va demain au théâtre de Dionysos. C'est ici, tout près, en bas. On y jouera Sophocle. Écoute-le bien ! Il te ramènera à la mesure ».

Ainsi, j'imagine qu'eût parlé Athéna.

Pauvre Renan de la *Vie de Jésus !* Au milieu des ruines de sa foi, il dut être souvent bien malheureux. Il me fait pitié, par moments. Le vulgaire pécheur se jette dans les bras de Dieu : « Mon Père, j'ai péché contre le ciel et contre vous ! » Et tout est pardonné. Mais lui, le savant homme, c'est le Fils du Père miséricordieux qu'il a renié. « Mets tes mains dans les plaies de mes mains, lui aura dit Jésus ; mets tes mains dans les plaies de mes pieds. Mets ta main sur la plaie de mon cœur ! »

Je ne veux, je ne puis juger. Tout ce que je sais, c'est que la Miséricorde est infiniment plus grande que tous les péchés de l'homme. Il y a une gloire du pardon et elle appartient au Christ du *Misereor.* Au moment suprême, j'aime à croire que Renan a dit à son Juge des mots de repentir et d'amour.

PASCAL

Dans la pauvre et unique armoire de notre bibliothèque de collège, un jour de je ne sais plus quelle année, je trouvai un livre de petit format, à couverture verte sur laquelle était écrit : *Pensées de Pascal.* Je le feuilletai ; il me frappa ; et j'en fis mon vade-mecum.

Ainsi, bien au dela de ce qu'on appelait alors l'apologétique où ma foi ne trouvait qu'une bien maigre et fade pitance, ces fragments d'une géniale pensée m'allaient tout droit au cœur. Ainsi, la science : *Essai pour les Coniques ; Traités relatifs à la Cycloïde ; Traité des Sinus du Quart de Cercle ; Machine arithmétique,* etc., etc., cette science, dis-je, la plus positive et la plus rigoureuse se réconciliait enfin avec la Foi. Et quelle Foi ! faite de grâce, sans doute, mais d'une grâce qui faisait pénétrer l'âme dans la voie royale de l'intuition et jusqu'au Buisson ardent.

Je copiai le Mémorial et le gardai près de mon cœur.

Pascal ! Nuit de feu ! Illumination ! Non une démonstration de rhétorique, mais une révélation qui, passant par l'*Ordre des Corps,* par l'*Ordre des Esprits,* aboutit enfin à l'*Ordre de la Charité et de l'Amour !*

Réconfort ! Au-dessus de la lamentable chair frileuse et si souvent égarée, il y avait donc ce fil direct de l'âme à Dieu. Et par ce fil pouvaient passer des appels auxquels Dieu ne résistait pas. Entre notre pauvre raison et Lui, il n'y avait donc que l'espace d'un cri d'amour !

Blaise Pascal, mon frère, au milieu de mes doutes, je ne t'ai jamais oublié. Tu me fus, tu m'es encore une grâce de lumière et de certitude.

⚜

Dans le grand dortoir d'autrefois, c'était le déshabillage : instant pudibond où il était de rigueur de tomber simultanément le pantalon et la longue jaquette de nuit. Le pyjama, jugé dangereux pour les mœurs, était strictement prohibé.

Enfin, sous la veilleuse blafarde, et nos jeunes corps étendus comme pour une répétition de la mort, nous chantions à demi-voix le répons bref de Complies :

In manus tuas, Domine, commendo spiritum meum...

Certaines nuits, avant de m'endormir, je me chante encore tout bas cette recommandation plaintive, cette harmonieuse et douce remise à Dieu. La musique est d'une fort belle tristesse, et, s'élevant d'un corps immobile et résigné, elle est comme le dernier chant de l'âme elle-même.

À l'époque de Menaud, je souffrais beaucoup de ne savoir point nommer la plupart des plantes que j'admirais. Je me sentais comme humilié devant elles.

Je prenais souvent, quand même, le chemin des bois. « Qui donc êtes-vous ? demandais-je aux arbres, vous qui, depuis tant d'années, semblez m'attendre... » Et je cherchais à comprendre leur vie, leurs structures et les lois de leur société.

Mon attention était surtout poétique. Elle me portait à l'émerveillement et me nourrissait l'âme de reconnaissance. Les ineffables et brèves splendeurs de l'automne me ravissaient et me faisaient pardonner à mon pays les rigueurs de son hiver.

Je faisais mon butin de feuilles et de fleurs ; et rentré chez moi, je cherchais dans la *Flore laurentienne* de Marie-Victorin les noms et les savantes descriptions de cette botanique qui avait tant à dire et me semblait attendre que l'homme lui prêtât quelque chose du meilleur de son humanité.

La biologie, l'écologie sont heureusement à l'honneur dans les sciences d'aujourd'hui. J'aime prévoir des écoles dont les murs, bellement imagés, seraient forêts et jardins. Une politique de l'environnement devrait être scolaire d'abord. On formerait ainsi des jeunes qui, sans être des savants, deviendraient des respectueux, des émerveillés en face de l'ordre naturel et de la beauté de leur pays.

Le problème de la pollution est d'abord celui de l'ignorance. Ignorance de cette vérité vitale : que tout vivant vit dans un milieu et en symbiose avec ce milieu.

L'homme est en danger de mort qui n'obéit qu'à une aveugle et intempérante sensualité.

Mais l'arbre est là. Par tout un merveilleux système d'équilibres, d'échanges, d'harmonieux rapports avec l'ambiance, il instruit. C'est un sage à sa manière. Que si on est attentif à ses leçons, il récompense par toutes sortes de conseils et d'agréables bienfaits indispensables à la vie corporelle et même spirituelle de l'homme.

L'importance est vitale de chaque jour, de chaque heure, de chaque instant de cette marche forcée qui, sans cesse, nous éloigne du monde et nous rapproche de l'éternité et de Dieu.

Nous vivons par étapes où s'entremêlent conscience et inconscience.

Dans le train d'aujourd'hui, je me penche la tête pour un peu prévoir ce qui s'en vient et voilà que ce futur est déjà passé.

Dans ce violent heurt d'images morcelées, je médite sur ma fugitive vision de la nature et du temps ; et, parfois, je regarde cette bonne maman qui, pour apaiser son bébé, lui donne à téter une sorte d'insipide sucette.

La véritable science finit toujours par déboucher sur le mystère ; et seule, l'humilité peut entrebâiller les portes du mystère.

Après *Menaud,* ma première visite dans un salon de Québec. J'y fus mis à la question. Il ne me souvient plus de ce que, gêné, timide, je répondis alors. Tout ce que je sais, c'est que mon sauvage intérieur me réprimanda : « Tu ne retourneras plus dans le monde, me dit-il. »

Et j'allai me purger l'âme dans les bois de mon pays.

Je note des souvenirs qui expliquent l'homme que je n'ai jamais cessé d'être.

J'avais dix ans lorsque mon père m'introduisit dans la forêt vierge, ou, pour mieux dire, dans le royaume de tout enchantement.

C'était un vaste pays que ces trois cantons Brébeuf, Lalemant et Périgny situés au sud du Saguenay. De riches américains y avaient là, et jalousement surveillée, une réserve de chasse et de pêche et quelque 340 lacs. Mon père avait quand même réussi à dégager de cette excessive concession une petite enclave de territoire sur les hauteurs de Périgny ; et l'espèce de génie poétique dont il était doué transformait en belles et séduisantes images tous ces lieux d'aventures dont il aimait rêver.

Les voyages de cette époque se faisaient, en partie du moins, à hue et à dia, dans des voitures brimbalantes qu'on appelait des *quatre-roues,* pour les distinguer des *quatre-épées,* sortes de cabriolets qui n'en avaient que deux.

Pour nous rendre jusqu'à ce lointain Périgny de rêve, nous partions de Chicoutimi dès la barre du jour ; puis, après une halte à la Grande-Baie, nous longions, durant des milles, la rivière Haha avant de nous engager dans les longs et sinueux sentiers de la forêt.

Et commençait alors, sous les lourds paquetons, la lente marche à petits pas entrecoupés de repos ; et après maints portages, c'était la traversée des lacs : des Cèdres, de la Grosse-Femelle, des Papinachois, des Huards. Navigation parfois houleuse dans les tournebilles du vent, mais le plus souvent, douce, tranquille, silencieuse, ponctuée par le glouglou des avirons ou par ces notes liquides qu'ils laissaient choir sur l'eau calme des pauses ou dans les hauts moments immobiles de l'attention.

J'aimais le canot, cette merveille si délicate, si sensible, si docile au moindre désir, cette pirogue faite à la mesure de l'homme avec ses varangues imitées de nos propres côtes, avec cette *pince* du devant, si fine et pénétrante et comme assoiffée de lacs et de rivières.

Ainsi, j'allais, espérant qu'un jour je te porterais comme un noble fardeau sur mes jeunes épaules, ô toi, le plus bel héritage de nos frères Indiens ; et déjà, ma tête dans ta coque renversée, je soutenais je ne sais plus quels grands rêves d'explorations et de découvertes.

Ah ! combien jeune et vive était ma joie dans le contour des pointes et des rochers, dans le côtoyage des baies paisibles, dans l'ouverture de perspectives sans cesse renouvelées, dans l'atterrissage enfin parmi le frôlement des roseaux, l'envol des canards, le frou-frou des libellules semblables à des bijoux de frissonnants saphirs !

Tant et de si nouveaux spectacles imposaient le silence. Nous parlions peu et plutôt à voix basse, mon père se contentant de me dire : « Regarde ! » en me montrant les images flottantes qui donnaient l'impression d'entrer en toute douceur et avec les seuls yeux de l'âme dans la fluide substance de cette belle et primitive nature.

Nous passions quelques jours au lac à la Balle. Mon père y avait un camp de bois rond nommé la Boucane. Notre guide était ce Mas Dufour (dont j'ai parlé dans *L'Abatis*). Il me parlait de sa vie de chasseur, de ses aventures ; par exemple, de cette longue équipée qu'avec son fils Alex, il avait faite, alors qu'ils avaient capturé vivants deux caribous pour Gaston Menier, seigneur de l'Île d'Anticosti. On ne peut imaginer cette folle corrida des deux hommes menant, à travers bois, les deux bêtes résistant, pattes butées et panaches en défense, jusqu'au port de l'embarquement.

Il aimait surtout rappeler l'heureux temps de ses premières noces, et montrer, sur une pointe, parmi les mélèzes, et les dentelles de lichens, le beau lit de mousse où il faisait... la *pinardelle*. Ce mot, à la fois mâle et femelle, m'amusait beaucoup. Il est poétique et mériterait d'être conservé. Il exprime bien la scène d'amour très faunesque de mon coureur de bois avec l'épousée qu'il appelait son *pivart* parce qu'elle était belle comme le pic doré de nos bois. Après ce rappel, et parce qu'il est des mots qui rajeunissent, le vieux Mas partait à danser.

Je m'amusais, les beaux matins, à regarder les gentilles rainettes vertes sautiller parmi les herbes et les bijoux de la rosée du matin. Ou bien, je partais seul vers la décharge de notre lac. C'était l'un des lieux secrets où j'aimais aller. Mes premières muses, *loin du monde et du bruit,* venaient m'y accueillir.

Le ruisseau soudain délié se divisait en cascatelles pour se jeter dans un bassin orné de roches émeraudes et recouvert de vieux cèdres penchés et comme pensifs. Commentant plus tard, dans mes cours, le *Songe d'un habitant du Mogol,* j'y retrouvai des mots qui me faisaient revivre le temps de ces lieux enchantés :

... biens sans embarras,
Biens purs, présents du Ciel ...
Solitude, où je trouve une douceur secrète ...

Et je n'oublie pas, tout à l'abri des vents, ce lacon-miroir où s'étalaient de calmes images pareilles aux bleus reflets de mes songes, où je me plaisais à voir naviguer cette cane et son canard que je retrouvai plus tard dans l'estampe du vieux peintre chinois Yen Houei et que l'empereur Houei-tsong regardait comme les purs symboles de l'amour.

Mais ces lieux si charmants n'étaient qu'une étape vers le lointain Périgny. On n'y accédait qu'après avoir traversé le long lac Brébeuf et suivi un portage de quelque six milles. Ce sentier, déjà tout embroussaillé, avait été, selon Mas, le chemin du Vieux-Pont, l'un de ceux que les premiers défricheurs de Charlevoix avaient ouverts pour se rendre à pieds, en charrettes, en tape-cul au Royaume du Saguenay. Je n'ai pas oublié ici le pieux geste de mon père : « Mets tes mains dans les anciennes roulières, me disait-il. C'est pour ton avenir... »

Cette longue marche aboutissait enfin, après beaucoup de fatigues, à ce que mon père m'avait tant vanté et qui n'était qu'une misérable cambuse de chasseur perdue sous les framboisiers sauvages.

Ma mémoire étant ici comme essoufflée, que mon lecteur permette que je m'asseye sur une souche et boive l'eau fraîche et pure qui jaillit encore de mon passé.

Le plus étrange pour toi, mon jeune frère qui me liras, c'est que beaucoup de voyages aient laissé peu de traces en moi, tandis que ces premiers de ma jeunesse sont encore bien vivants sur mes cartes intérieures. Et c'est là que, fuyant le chaos et toutes les bruyantes violences d'aujourd'hui, ma main, retrouvant force et jeunesse dans les vieilles roulières, s'applique à retracer les trajets des très nobles et très civilisés et courageux Anciens, mes Pères.

J'ai souvenir qu'un jour, je dînai, à Paris avec Paul, le frère de Jean Cocteau. Nous étions les hôtes de la famille Donohue.

J'aurais aimé rencontrer *le monstre sacré*. Mais qu'aurais-je pu lui dire qui l'eût intéressé ?

J'ai vu une photo de ses mains. Extraordinaires, elles eussent pu illustrer cette définition de l'homme par Aristote : *L'homme est un être qui a une raison et des mains.*

Mains de ce Cocteau prestidigitateur ! longs doigts nerveux, habiles artisans du verbe et du pinceau. Doigts un peu semblables à ce doigt allongé du premier homme que peint Michel-Ange, cependant que notre versatile poète murmure, comme dans son premier Orphée : « La Poésie, mon Dieu, c'est Vous ! »

PORTRAIT

L'abbé Alexandre Maltais était un Saguenayen pure laine. Mais il avait été prêté par Mgr Dominique Racine à son frère Antoine, alors évêque de Sherbrooke. C'est là qu'entre ses vacances, au Saguenay, il passa sa vie.

Il enseignait la morale ; mais une morale un peu bonhomme puisque, disait-on, il se servait non point des Jésuites, mais de La Fontaine pour illustrer les cas de conscience.

Il savait toutes les Fables par cœur. La Fontaine était son vade-mecum.

Bon vivant, grand mangeur de cretons et de tourtières, il nous aborda un jour, au déjeuner, avec ce qui lui semblait être l'événement le plus grave de la semaine :

Ratapolis est bloquée, dit-il...

Il se mit ensuite à commenter avec esprit et grands éclats de rire ce bulletin de guerre.

Il vivait ainsi dans un autre monde. On aurait pu dire de lui ce que disait Diderot de la vie du Bonhomme, savoir, « qu'elle ne fut qu'une distraction continuelle, et qu'au milieu de la société, il en était absent ».

On m'a raconté que, Carême prenant, il traversait la ville de Sherbrooke en exhibant une morue salée qu'il apportait triomphalement à une vieille cuisinière de ses connaissances.

Et cet autre fait : qu'un bon matin, étant entré dans le VC avec son bréviaire, il en sortit pieusement avec le siège d'aisances sous le bras.

Je n'ai jamais eu la chance de suivre ses cours, mais j'imagine ce qu'ils devaient être : ceux d'un moraliste tout plaisamment moralisateur, entremêlant hommes et bêtes et les jugeant, sans doute, aussi sages, celles-ci que ceux-là.

⚜

Certains jours, je fais une sorte de bond hors du présent.

Comme Antée, je retrouve mes forces dans la terre où sont les vivifiants souvenirs et les grands morts.

Et je crie à certains petits hommes de notre temps : « Vous êtes indignes de notre noble destin. Je vous méprise. »

Ce sont là les sentiments qu'avait Menaud lorsqu'il s'enfuit vers ses montagnes.

⚜

Le rang de Saint-Ours, communément appelé Tourlognon, est l'un des plus beaux de Charlevoix.

Il domine la vallée du Gouffre et tout un vaste panorama qui se prolonge jusqu'à la montagne du lac des Cygnes.

Les cultivateurs y sont peu nombreux et la plupart des terres sont tombées en friche.

Mais là, dans ce paysage qui pénètre sans bruit dans l'âme, qui replace les choses et refait l'ordre des valeurs, dans ce Tourlognon presque désert, tout est calme et paix que l'on savoure dans les délices prolongées de la libre contemplation.

Or, l'un de ces derniers printemps, je demandai à mon ami Georges Audet de m'y conduire. Il faisait beau et sec. C'était le temps des semences et, poussé par une certaine faim paysanne, je cherchais des semeurs dans les champs de mon pays.

Et voici que, parvenu au sommet du chemin, je vis, en contrebas, monter un étrange nuage de poussière rougeâtre : un homme, enfin, était là qui roulait le champ qu'il venait d'ensemencer. Le spectacle était celui d'un haut-relief où figuraient l'homme, la bête et la terre, modelés comme une sorte de terra-cota dont la couleur était admirablement accentuée par le bleu des montagnes.

Nous nous arrêtâmes à la clôture et je fis signe au personnage d'approcher.

Après le bonjour :

— C'est beau, lui dis-je, en montrant le champ, lequel, tout bordé de longues digues de pierres était d'une rare propreté. C'est bien beau, répétai-je à mon paysan, oui, bien beau ce que tu fais là.

Il demeura quelque temps songeur, puis :

— Vous trouvez cela beau, dit-il, mais...

Faisant alors un geste vague vers ce que j'admirais, il me raconta que cette terre si soigneusement essouchée, épierrée, nettoyée, fertile encore, était l'œuvre de son arrière-grand-père, puis, de son grand-père, puis, de son père, et enfin, de lui-même.

Déplorant ensuite que ses fils aient déserté ce patrimoine, il répéta tristement :

— C'est beau, oui, c'est beau, mais ça ne vaut plus rien... plus rien... plus rien...

Puis, m'ayant donné sa noble main et remercié, il retourna comme un personnage de stèle dans le nuage rougeâtre de son chagrin.

Et depuis, lorsque je regarde les champs abandonnés de mon pays, c'est, comme un glas, la parole de mon paysan de Saint-Ours qui me revient :

« Ça ne vaut plus rien, plus rien, plus rien ! »

Au cours de mon premier voyage en France, Luc et moi, nous rencontrâmes quelquefois l'écrivain René-Louis Doyon. Il avait grande amitié pour les Canadiens français chez qui il avait trouvé un lointain cousinage patronymique.

Cet érudit vivait, Impasse Guéménée, dans un poussiéreux logis où, parmi un incroyable pêle-mêle de curiosités littéraires, il rédigeait, dans une fort belle langue, ses *Carnets du Mandarin.*

Fuyant la jungle écrivassière où il avait reçu, sans doute, maints coups de griffes, il s'était sagement entouré de suggestives et ronronnantes créatures.

Sous le vocable de Notre-Dame des chats perdus, (c'est ainsi qu'il appelait sa conjointe), matous et chattes étaient en effet partout. À certaines senteurs sui generis, on le devinait dès l'entrée.

René-Louis savait, par le détail, tous les écrits et toutes les mœurs des grimauds de son temps. Il était friand de menus scandales, les assaisonnait, les apprêtait de piquantes malices. Il avait une pieuse préférence pour les histoires graveleuses de curés. Je vois encore ses doigts gris, nerveux maniant le stylet ou la fourchette ; et sur son visage, le plaisir qu'il prenait à savourer ses victimes.

Le cher homme, quand même ! Si j'imagine qu'au purgatoire des gens de lettres il reçut maints coups de bâton de ceux qu'il avait brocardés dans ses mandarinades, je n'ai point oublié le jour où tout gentiment et fraternellement, sous les arcades de la Place des Vosges, il offrit à ses cousins d'Amérique un très cordial et prolongé blanc de blanc.

(On trouvera, à la bibliothèque de l'Université Laval, le fonds Doyon. Je ne sais si l'inventaire en a été fait. Sous le signe de Raminagrobis, il y aurait là une bien plaisante thèse à faire.)

À mi-côte, sur les hauteurs de Chicoutimi, s'élevait la chapelle des Servantes du Saint-Sacrement.

J'y accompagnais ma mère, le dimanche, quand il faisait beau. Impressionné par le spectacle de ces femmes immobiles, séparées par une infranchissable clôture de fer, et qui se relayaient nuit et jour pour adorer en silence l'Époux invisible et muet qu'elles avaient choisi de servir, je me fixais là dans une sorte de vague et respectueuse contemplation qui me paraissait quand même un peu longue... parfois.

Ainsi, après tant de siècles, des saintes femmes relevaient par leur vigilant amour ces lourds Apôtres qui n'avaient pu *veiller une heure avec Lui...*

L'autel était d'un remarquable marbre blanc, toujours fleuri. À Pâques surtout, alors que le parfum des lis, franchissant les grilles, entrait innocemment dans la chair de mes dévotions et me faisait parfois reproche.

La vie de ces contemplatives demeurait mystérieuse. Elles vivaient d'aumônes et pauvrement. On disait que l'une d'elles, alitée pour toujours, faisait d'admirables broderies, cependant que derrière les murs d'une prison voisine, des malheureuses revendiquaient à hauts cris les droits de la chair et du sang.

Au sortir de notre heure de garde, nous nous arrêtions chez l'oncle F.-X. Sa maison était en contre-bas du monastère. De style colonial, blanche, spacieuse, bien meublée, tout y respirait la haute bourgeoisie.

Mon oncle, très renseigné, très pieux, aimait ma mère en qui il retrouvait les qualités jalouses du fier clan des

Gosselin. Je le vois encore entouré de ses livres et lisant, tandis que ma tante et ses deux filles Nanette et Madeleine s'adonnaient à la peinture, faisaient dentelles et broderies. Les Muses, un peu perdues dans notre rude royaume du Nord, semblaient s'être arrêtées là, dans ce havre de paix, de mœurs douces et de langage poli, attirées peut-être aussi, tout autant que moi-même, par ces gâteries de sucre dont ma tante avait le secret. Toute cette ambiance paisible, harmonieuse, un peu sucrée, me représentait un idéal de vie qu'avec mes farouches instincts de Savard, je ne prévoyais pas pouvoir atteindre jamais.

Nous rencontrions là, parfois, le chanoine Huard, les Seigneurs Lapointe et Duchesne. Je sus, plus tard que mes goûts pour la poésie inspiraient de vives inquiétudes à ces dignitaires, bien loin, trop loin, sans doute, des passions et des libres allures de ce draveur qui poussait en moi.

De quoi s'entretenaient-ils donc ces sages amis gravement enfoncés dans leurs fauteuils ? Comment prévoyaient-ils l'avenir ? Et pourtant — je le compris plus tard — des grondements sourds se pouvaient entendre sous le parvis de l'Église. La persécution religieuse sévissait en France. Les Livres saints, la divinité du Christ, l'autorité du Magistère étaient remis en question. Les sciences de l'exégèse travaillaient ferme à saper les fondements de la Foi. Cette Foi tranquille du Québec, il eût été urgent de la fortifier, de la sortir de son euphorie sentimentale, de la replacer dans son invincible lumière raisonnable et révélée...

Il me souvient ici qu'au séminaire, une seule pauvre fois, le dimanche, à l'heure alourdie de la digestion, on nous servait une maigre pitance religieuse d'apologétique. Que revenaient donc faire en nos âmes la Saint-Barthélemy, le procès de Galilée et autres lointaines et vides querelles, à l'heure où la divinité du Christ était niée ?

Mais séparés que nous étions par les mers et protégés par des bastions de coutumes et de défenses, et tenus sous la crainte d'autorités indiscutables et armées des terribles vérités officielles de la morale du temps, nous dormions en toute paix sous la garde des Docteurs de la loi, tandis que le Christ était en agonie.

J'exagère peut-être... Il est si facile d'accuser un passé qui n'est plus ici pour se défendre.

Chers vieux maîtres que j'aimais quand même et que je respecte encore, il serait juste de mettre en balance les vertus et les sacrifices que vous pratiquiez, et la religion d'une époque où la charité et l'esprit d'apostolat accomplissaient des prodiges.

Et alors, et parce que j'ai juré que je ne dirais jamais de mal des miens, je préfère me souvenir des bontés dont je fus l'objet, et rappeler une fois de plus que, parmi les lis de la chasteté, veillaient le jour, veillaient la nuit, beaucoup de saintes femmes auxquelles s'unissait ma mère, tandis que le petit homme que j'étais se laissait doucement emporter par d'étranges ailes vers les horizons d'un lointain et vague romantisme.

Et puisque je suis à balancer les choses, pourquoi n'ajouterais-je pas que, depuis toujours et bien antérieurement à l'irréductible Antigone, les femmes font le poids et plus que le poids, par le poids de l'amour, le poids de l'avenir, le poids de l'éternité ?

Et c'est pourquoi tant de mâles, outrecuidants, jaloux et trop sûrs de leur force, cherchent à les soumettre et même à les avilir et à les souiller.

Et c'est aussi pourquoi les gouvernements, toujours mâles, devraient protéger la chair, les entrailles et le cœur et l'âme des femmes.

L'écrivain s'avance au pas hésitant de ses doigts, cependant qu'au-dessus de lui, et comme une sorte de nuée lumineuse, marche et le guide la mémoire sublimée d'un temps qui n'est plus ce qu'il était, mais où le poète entrevoit l'âme belle et vivante de son peuple.

C'est de cette haute, exaltante vision épurée des misères et souillures du présent qu'il reçoit son inspiration. Ainsi stimulé, conduit par l'amour et l'admiration, et par moments aussi, emporté par la révolte, s'en va-t-il, bien au-dessus des contingences, bien au delà de la plaine où s'entrechoquent les idéologies et les passions, vers les sereines régions d'une durée qu'il refait au gré de ses plus purs désirs.

Ainsi peine-t-il à choisir ce qui lui paraît être le meilleur, le plus vrai, le plus beau et à le fixer pour toujours dans une sorte de présent surélevé, enfin stable, qu'il voudrait fort et vainqueur et qu'il imagine parfois glorieux.

Vint le jour où je dus entrer à l'école. Ce fut sans contrainte. Je me sentais attiré par cette maison, sise rue Cartier, d'où, par les beaux jours de fenêtres ouvertes, sortait une étrange musique : celle du syllabaire que les enfants chantaient à pleins poumons.

Ba, be, bi, bo, bu ! C'est par ce chemin que je devais entrer, heureux comme un oiseau, dans les vocalisations du langage.

Ma mère m'avait soigneusement préparé à cette introduction. Elle m'avait fait une toilette dont j'étais fier : culotte de velours côtelé, chemise fleurie, grand col rabattu, d'un blanc très pur et s'échancrant sur une sorte de glorieuse cravate lavallière à pois couleur de ciel.

Ainsi, tandis que mon père ne parlait que d'aventures et que de forêts, la bonne Geneviève-Ida Gosselin, fille de gens de robe, conduisait son petit vers une destinée qu'elle ne prévoyait pas.

Un sentier menait à cette première école. Il traversait une sorte de parc épaissement bordé de saules et ombragé de mystères. Le gardien de ces lieux vivait là, dans une cabane et cultivait un potager. Il était, un peu difforme, une sorte de gnome que nous appelions « le petit Français » et qui, grondant, grommelant je ne sais quoi, faisait peur aux gamins qui menaçaient ses plates-bandes.

Il salua gentiment ma mère.

Mes premiers maîtres étaient des Maristes. Vêtus d'un froc en drap d'Elbeuf, ils portaient croix et rabat.

Je sus plus tard qu'ils étaient des exilés, victimes de l'odieux sectarisme qui sévissait alors en France.

Ainsi, violemment séparés de leurs familles, injustement bannis comme de vulgaires criminels de leur pays natal — lequel se reposait ainsi de ses guerres et de ses révolutions en persécutant ses propres fils — apportant ici, dans notre rude Nouvelle-France, dévouement, charité, politesse, beau langage, vivant dans la plus stricte pauvreté, regardés de haut par le clergé régnant, incompris par un peuple dont ils dégrossissaient les fils, ils ne recevaient ici ni la reconnaissance ni les égards que leur zèle et leur condition leur eussent mérités.

J'ai oublié d'eux bien des choses, mais j'aime à rappeler qu'ils m'ont donné le goût des plantes et des fleurs, inculqué le respect de la langue et que c'est d'eux aussi que j'ai appris l'Évangile.

C'est sous une lourde épaisseur d'ingratitudes que gît ce lointain passé. Et pourtant, je ne puis encore revivre le mois de mai sans revoir, dans ma première école, cet autel décoré de guirlandes et de sapins devant lequel nous chantions à la Sainte Dame nos premiers cantiques et récitions les compliments naïfs de notre jeune amour.

⚜

Au sortir de mes études commerciales, répugnant aux chiffres, j'avais dit à ma grand-mère — femme pratique — que j'aimerais faire un peintre. Elle s'inquiéta : comment manger à sa faim dans un pays où les artistes vivant de leur art étaient un phénomène miraculeux ? Je dis donc adieu à ce rêve et me consolai en peinturlurant ce qui me tombait sous la main.

Après maintes hésitations, j'entrai, en 1913, comme galopin à la Banque nationale de Chicoutimi. On me confia la chasse aux débiteurs en défaut. J'aurais pour longtemps pourchassé ce gibier farouche, si ma mère, voyant mon ennui, n'avait exposé mon cas à l'abbé Eugène Lapointe. Il m'ouvrit les portes des grandes études.

J'entrai au second semestre de 1913 en classe de Quatrième (élémentaire) au vieux séminaire de Chicoutimi. Mon professeur fut l'abbé Simon Bluteau. C'était un très sec et grand monsieur, féru d'histoire, au verbe incisif et coupant. Il n'avait pas accepté nos défaites, et comme un digne patriote de 1837, il brandissait ses longs bras sur les noms de tous les spoliateurs de notre liberté.

Lorsqu'il déposait les armes, il nous parlait d'art, des broderies sur soie des princes mandchous et même des chiens du peintre Sir Edwin Landseer pour qui il avait une profonde admiration. Cela me comblait d'aise. C'était vers ce temps-là que j'étudiais à la loupe un dessin d'Albert Dürer, celui de saint Eustache et m'émerveillais devant la précision de cet art qui savait atteindre à la perfection en dessinant les objets les plus simples : l'écorce des arbres et le poil des bêtes...

Pour en revenir à mon noble professeur, il lut un jour, en classe, l'une de mes premières compositions. Et ses éloges me le rendirent d'autant plus cher qu'il flattait davantage ma jeune vanité.

J'eus de la peine quand il mourut curé de Saint-Félicien.

À l'automne qui suivit l'incendie du vieux séminaire, j'entrai en Éléments latins. Les cours avaient lieu à l'Académie Commerciale que les autorités scolaires avaient généreusement mise à la disposition des prêtres enseignants.

L'abbé Arthur Gaudreault, docte théologien, fut le froid directeur de cette époque éprouvée. Nons ne l'aimions guère ; et même qu'un jour où il faisait gravement les cent pas sur le trottoir du rez-de-chaussée, nous lui versâmes, du second étage, un généreux pot d'eau froide sur la tête. Nous avions jugé que la raideur de l'homme exigeait cette douche ramollissante. L'affaire étant plutôt comique, les autorités n'osèrent point venger notre directeur détrempé.

L'abbé Jean-Baptiste Boivin fut mon premier professeur de latin. C'était un doux sentimental. Il nous corrigeait à l'encre rouge, « avec le sang de mon cœur », disait-il. Nos fautes devenaient ainsi presque tragiques. Il maniait les déclinaisons latines d'une manière fort amusante. Et je vois encore sur ses petits doigts fleuris voltiger *rosa rosae,* comme des oiseaux. Ce qui, pour un long mois, m'apparut un prodige inégalable de science et de dextérité. Le latin allait, quand même, devenir une seconde langue natale pour moi. On l'a proscrit un peu partout, au grand dam de la pensée. C'est l'un des signes de notre barbarie actuelle.

En Versification, mon professeur fut, très aimable et très fin, l'abbé André Laliberté. J'ai, maintes fois, raconté à mes jeunes la leçon qu'il me donna. Nous peinions alors à traduire, mot à mot, le *De Amicitia*. Et c'est à cette occasion que le cher abbé nous fit remarquer une finesse ou malice de Cicéron. Il ne s'agissait que d'un petit préfixe dans un mot composé. C'était bref, mais clair et vivant. Et tout l'amour que j'ai pour les sources de la langue française a commencé par cette syllabe. Devenu plus tard professeur de Belles-Lettres, j'entrepris un travail de recherche étymologique que je n'ai jamais abandonné.

Les vacances qui suivirent ne furent guère ensoleillées. Je les passai toutes à cataloguer les livres que, d'un peu partout, on envoyait au Séminaire incendié. Je devins une sorte de bénédictin et manipulai des centaines de titres, lesquels allaient des *Annales de la Bonne Sainte-Anne* jusqu'à je ne sais plus où, en passant par d'innombrables, poussiéreux sermonnaires dont beaucoup de curés avaient jugé charitable de nous enrichir.

Notre préfet d'alors était l'abbé Lionel Lemieux. Ce saint homme, extrêmement consciencieux, méticuleux, connaissait bien son grec. Il était le grand spécialiste des particules. Il me dirigea dans la mise sur fiches de toute cette bouquinerie. Ah ! dans toute cette sainte littérature, combien rares étaient les pâturages de la poésie ! Je sortis de là accablé de titres et l'esprit dans une extrême confusion.

Après la Versification, nous entrâmes dans le séminaire neuf. Tout y était clair et spacieux. Nous avions de grandes cours, un bocage et même une ferme et un directeur qui devait jouer un rôle important dans ma vie.

Je n'y retrouvai point, cependant, un prêtre que j'avais beaucoup admiré, l'ayant vu comme un humble maçon, travailler parmi les gravats, les briques et le mortier. Je n'avais pas oublié, non plus, le jour où il m'avait amené parmi les colons du Canton Bégin, comme s'il eût voulu me donner le goût de cette grande œuvre à laquelle il devait consacrer ses talents, sa parole et ses écrits.

Jean Bergeron fut un grand colonisateur. Quel intelligent amour de notre peuple, quel souci de son avenir il avait. Mais avec tant d'autres, il est injustement oublié.

Les ingrats ! Le passé ne les intéresse que dans la mesure où ils peuvent le détruire. Ils travaillent à faire de l'histoire une terre d'oubli afin de mieux s'y établir eux-mêmes. Ils s'acharnent, de préférence, sur les grands morts, sur les pionniers, sur les sages, sur les saints, sur les héros, sur les idées, les sentiments, les vertus et toutes les œuvres dont ils sont incapables.

Cher abbé, je me murmure encore ton nom et me rappelle avec reconnaissance que c'est grâce à toi, parmi les souches, que j'appris à connaître et à aimer les humbles qui travaillaient à *faire* la terre de mon pays.

En Belles-Lettres, comme je l'ai dit, nous étrennâmes un nouveau directeur : l'abbé Edmond Duchesne et trouvâmes en lui tout ce qui rend la jeunesse heureuse : douceur, compréhension, respect des droits du plus jeune, générosité sans calculs, discernement des caractères, piété virile et, sous les dehors de l'autorité officielle, une humilité qui s'appliquait à trouver et à encourager les talents des autres.

Il fut pour moi un bienfaisant Mécène. Il venait de fonder l'*Alma Mater*. Il m'en ouvrit les pages. Je feuilletai les carnets de mon cœur, rédigeai des proses romantiques et vécus la jeunesse de Menaud.

Le sceptre de la poésie était aux mains de Derfla, l'abbé Alfred Tremblay, théologien lyrique, disciple de Victor Hugo, mais que tout le monde vénérait.

L'alexandrin était alors le monarque absolu, volontiers rhéteur, de la poésie de cette époque. J'eus l'audace, un jour, de rimer une ode grandiloquente, puis, d'autres que je serais un peu gêné qu'on exhumât. Mais ces essais, ceux des autres et les miens, témoignent qu'il y avait, en ce temps-là, un sourcier qui s'appliquait à tirer de nos âmes de naïves musiques et de nobles pensées.

C'est à cet abbé Duchesne que je lus, un soir, vers 1936, les premières pages de *Menaud*. C'était sous les palmes d'un grand salon. Il m'encouragea à continuer mon récit. Et plus tard, je fus heureux de dédicacer *L'Abatis* à ce très noble et très bon chanoine Edmond Duchesne.

⚜

Vient un temps étrange et qui ne se mesure plus en années, en mois, en jours. La vie fait une sorte de compte à rebours, à partir d'un instant qui lui est inconnu.

Le corps, cet admirable mais éphémère composé, se voit graduellement désunir en ses moindres parties, comme si chacun des éléments de cette chair empruntée, désormais, ne voulait plus être qu'autonome.

La pensée fréquente alors les tombeaux. La mémoire qui se plaît encore à évoquer les souvenirs de la jeunesse n'aboutit le plus souvent qu'à rassembler des morts. Et parfois, au cours des longues insomnies de la vieillesse, on croit les entendre qui nous parlent, et, cherchant à nous adoucir les rigueurs du passage, ils nous inspirent la hâte de les rejoindre et de participer bientôt à leur céleste paix.

L'âme, de jour en jour plus indifférente aux agitations et aux idées du temps, regagne les cimes d'où tantôt elle regarde avec pitié les plaines bruyantes de la vie ; et tantôt, s'autorisant d'un mystérieux prophétisme qui lui vient du passé, elle s'inquiète de ses frères humains et s'effraye des tumultes, des violences, des cris et des fureurs des peuples. Mais, le plus souvent, lassée d'un temps mortel, elle soupire vers son Principe et le moment suprême où, reprenant ses ailes natales, elle s'envolera pour toujours vers l'ineffable sérénité de son Dieu.

De mes lointaines Humanités, un texte m'est souvent revenu. Il est, je pense, du *De Senectute.* Cicéron écrit : *Commorandi natura diversorium nobis, non locum habitandi dedit. O præclarum diem quum ad illud divinum animorum concilium coetumque proficiscar, quumque ex hac turba et colluvione discedam...*

Oh ! vienne enfin ce *praeclarum diem,* ce grand jour de clarté.

Dans cette hôtellerie précaire qu'est la vie, s'accroît le sentiment de l'exil.

O praeclarum diem ! disait un païen...

Mais moi, fortifié par les promesses du Christ, je me murmure chaque soir le doux cantique du vieillard Siméon :

Maintenant, ô Maître, tu peux
selon ta parole laisser ton
serviteur s'en aller en paix,
car mes yeux ont vu le salut
que tu as préparé à la face
de tous les peuples...

Après quoi, je m'endors dans la paisible espérance de la chair consolée.

Si je me rappelle bien, c'est durant l'été de 1916, que je fis mon second voyage, mais cette fois, dans les premiers abords de l'immense forêt de mon pays.

J'étais l'invité de mon généreux beau-frère Pierre Vézina et de ma sœur Blanche. Ils partageaient avec moi l'amour de la vierge, de la belle et grande nature.

Nos guides étaient les frères Georges et Louis Savard, maîtres-canotiers intrépides et connaissant à fond le pays sauvage où nous allions nous aventurer.

Le voyage débutait à Saint-Charles ; et de là nous gagnions les Chenaux, sorte d'étroit canal que les Indiens avaient épierré. Cette glissoire liquide menait le plus gaiement du monde nos deux canots vers la bien-nommée rivière Blanche. Descendue de la montagne, cette rivière, telle une cavale sauvage, toute en sauts, bouillons, écumes, nous emportait, précipitait plutôt vers le grand lac Sotogama (ou Thsitagama).

J'appris alors de nos guides que les noms des rivières changeaient, en cours de route et selon leurs lits, courants et humeurs. Ils disaient : les eaux-mortes, les eaux-vites, les eaux blanches, les rapides, les cirés, les cassés, les chutes et chutons, les remous, les sauts, etc. Ces noms et combien d'autres tirés de la nature elle-même m'enchantaient. Ainsi donc des hommes qu'en certains milieux on se plaît à appeler des illettrés, engagés par la vie sur des eaux sans miséricorde, à genoux dans les barques les plus fragiles qui furent, parant avec une simple pale de bois, à droite et à gauche, les cornes de la mort, ces hommes, dis-je, toujours inquiets, parfois chantant, savaient bien nommer, non dans une logique statique et confortable, mais dans leur mouvement vital les choses les plus fluides, les plus insaisissables et les plus périlleuses.

⚜

Et nous entrâmes dans ce lac merveilleux où régnait dans le calme d'une paisible unité l'heureuse harmonie des contraires.

Ce lac, au nom sauvage, était d'une beauté sévère et toute primitive. Il était encadré de hautes montagnes parfaitement boisées. Cette pure forêt gothique, fleuronnée d'arbres, fréquentée par les seuls Indiens et trappeurs, me donnait l'impression d'être introduit dans le premier matin du monde.

Nous tentions sur une pointe que nos guides nommaient la pointe d'Appel. Tel était, disaient-ils, le nom d'un comte Russe qu'ils avaient conduit et guidé là durant plusieurs étés.

Qui était-il donc, ce noble étranger venu d'un si lointain pays ? Exilé ? Simple amateur de grande nature et de pêche ? ou poète à la recherche d'une liberté que sa patrie lui refusait ? Je n'en sais rien.

Monsieur Charles Donohue, l'oncle de Mark, m'a, vers les années 1930, parlé d'un ami Russe qui lui avait appris à fumer ou boucaner les oies sauvages. On les mangeait entre deux vodkas. Ce gourmet était-il le comte d'Appel ? Je laisse aux chercheurs de retrouver ce personnage mystérieux.

Nous passions notre temps à pêcher la truite grise et surtout le brochet qui abondait dans ces eaux. Mais consigne était de ne capturer que ce que nous pouvions manger. Le surplus des prises était retourné vivant.

Quels délicieux festins que ceux-là que nous préparaient nos guides, à la mode indienne ! Les poissons embrochés étaient grillés (ou barbecuits : mot que j'invente) sur feu de bois, puis pelés d'un simple coup de couteau ; enfin étendus de beurre, ils nous étaient servis sur une écorce dorée. Mets royal autant que simple ! Il est une mémoire du goût. Me resservant ce plat, il me met encore l'eau à la bouche.

Le soir, je m'adonnais à la contemplation. La nature, lasse, se reposait. Elle rentrait dans une sorte de religieux et calme sommeil. Et c'est alors que s'ouvraient avec lenteur les portes du mystère et que je me sentais introduit dans cet ineffable pays natal autour duquel ne cesse de rôder l'homme inconsolable.

Je poussais mon canot sur les eaux tranquilles. C'était l'heure attendue où les choses prenaient un autre nom, où, moi, de même, je devenais comme un autre ; où, purifié de toute contrainte, affranchi de la raison raisonneuse, paré comme un lévite des ornements du soir, j'entrais dans les cérémonies mystérieuses d'une liberté où rien de profane ne troublait l'ordre de l'âme du monde.

Oh ! fraîche et limpide jouissance et saveur harmonieuse d'une jeunesse dont la chair comme spiritualisée et affranchie du temps, avait la sensation de se croire immortelle !

Et, par moments, autour de mon canot émerveillé, une dernière brise m'apportait tantôt l'arôme des bois, tantôt, de tant de morts inconnus, un imprécis souvenir mêlé à d'étranges musiques pareilles aux préludes d'une entrée triomphale dans les mystères de l'Être.

C'est dans cette ineffable et très pure liqueur de la nature primitive que ma jeune poitrine a baigné ; c'est de ces délicieux échanges sans paroles, de ces simples et sereines et saintes idées que fut imprégnée mon âme ; et cela pour la vie.

Après ces quelques jours passés à la pointe d'Appel, nous nous engageâmes sur les eaux vites, rapides, de la Péribonka. À la chute à MacLeod, nous couchâmes dans un vieux camp abandonné.

L'itinéraire du lendemain comportait un long portage vers la Grande Décharge jusqu'à cet endroit où elle était enjambée par un pont de bois qu'on appelait le Pont Taché. De là, nous allions entrer dans les grands jeux agonistiques.

Programme était de se risquer en canot, sans aucun flotteur de sauvetage, dans cette sorte d'entonnoir où se déversent toutes les eaux du lac Saint-Jean : longs rapides de la *Vache caille,* rapides Gervais : violences tumultueuses, pleines des plus traîtres dangers. À l'endroit dit des *Trois Roches,* un malheureux américain y avait péri quelques semaines auparavant. On avait retrouvé dans une poche de son gilet une pantoufle d'enfant...

Ainsi, j'allais être initié pour la vie ou pour la mort à ce terrible métier d'hommes intrépides dont le souvenir m'a toujours accompagné en d'autres aventures.

Telle un troupeau de bêtes sauvages et furieuses dévalait cette rivière toute hérissée de cornes, toute bardée de griffes, toute armée de gueules et prête à dévorer les téméraires qui osaient l'affronter. Je vois encore nos deux braves debout, maniant les hauts avirons, pareils à de superbes fils d'Héraklès frappant les têtes de l'Hydre au souffle mortel.

Ce combat finit heureusement dans les eaux apaisées qui bordent le village des Aulnaies. C'est là que demeuraient nos guides. Je les quittai avec reconnaissance et regret.

Le mot de sport, qui, à l'origine, signifie amusement, ne convient pas ici où la mort est partout, multiple et véhémente. Et contre elle et qui la veut braver : l'Homme ! Et c'est l'affrontement dans de frêles esquifs, c'est la dure volonté des muscles tendus au plus fort de la tension ; ce sont les gestes essentiels dans les tumultes de l'imprévu, et par endroits aussi, la simple petite touche du petit doigt de la droite sur le maintien des avirons. Mais ce sont surtout les regards portés jusqu'au suprême de l'acuité vitale et traversés, par instants, de visions tragiques, par celle d'un vaincu emporté dans les gueules de l'eau avec, comme seul trophée... une pantoufle d'enfant.

Sport ? Certes non. Mais victoire de l'homme, de son audace et de son courage sur l'une des plus violentes puissances élémentaires.

Chers guides encore une fois sortis vainqueurs d'un suprême combat, nobles héros inconnus et sans couronnes ni applaudissements, pour chanter vos exploits je voudrais être Pindare.

⚜

Je reçus la visite de Marius Barbeau vers 1938. Il était accompagné des hauts mandataires de la Commission royale Sirois-Rowell.

C'était une curiosité mais un peu distante qui l'amenait chez moi. *Menaud* avait paru ; et, plus tard je sus que Marius avait de solides préventions contre cette œuvre qu'en certains quartiers on trouvait férocement nationaliste. Voire !

Peut-être aussi me regardait-il comme un autre de ces curés défiants qui, sans comprendre son œuvre, l'avaient plutôt froidement accueilli au cours de ses recherches. Mais, c'est là une histoire que je n'ai jamais approfondie.

C'était l'époque où j'étais travaillé par un poème : *Louise de Sinigole,* où je voulais chanter la colonisation du Saguenay par les pionniers de Charlevoix. Je sortais de Mistral, tout ruisselant de cette poésie où j'avais retrouvé Homère, Hésiode, Virgile, tout possédé par un jaloux désir de connaître nos plus belles traditions, de les mettre en lumière et en chant. Ce devait être là ma revanche patriotique. Cela devait rappeler que mes pères « avaient été d'un océan à l'autre, et même dans tous les périls, les plus gais des hommes, les fidèles échos de ce monde sonore, les amants passionnés de cette nature aux belles images sans cesse renouvelées, à laquelle, tous, dans la plaine, sur la rivière ou la montagne, dans la neige ou les joailleries du printemps, ils avaient chanté une chanson d'amour et un hymne de liberté » *(Menaud).*

J'avais jonglé, fait un plan, ébauché même un premier chant. Un ami d'alors, Jean-Louis Gagnon, m'avait fait une page dans un journal de Québec, l'*Événement,* je crois.

Oh ! c'était un bien beau poème que je m'imaginais voir. Prolongement de Menaud, il allait dans ce chemin de conquête que mon père m'avait montré. Il suivait les bœufs et les vaches et les charrettes à ridelles portant les coffres à linge, les outils, les semences bénites de blé, de gaudriole, de gourganes, et des femmes et des enfants et des fils à marier... et des berceaux. C'était, aux petits pas de l'avenir, l'avancée d'une civilisation chrétienne de travail, de sacrifices, de paix et d'amour qui devait rendre fertile un beau *Royaume* par-delà les monts de Charlevoix. Dans cette caravane de promesses, de vaillance et d'espoirs, tout chantait. Du moins, l'entendais-je ainsi ; et comme le Rossignolet sauvage, je me chantais à moi-même avec Mistral :

Âme de mon pays,
Toi qui rayonnes, manifeste,
Dans ton histoire et dans ta langue...
Par la grandeur des souvenirs,
Toi qui nous sauves l'espérance...
Âme éternellement renaissante !
Âme joyeuse et fière et vive...
Âme des bois pleins d'harmonie...
De la patrie, âme pieuse ! je t'appelle !
Incarne-toi dans mes vers...

(Calendal)

L'entreprise, certes, était belle... téméraire peut-être. Je dus déchanter. Je me trouvai bientôt à court de poésie, c'est-à-dire de cette poésie que je voulais extraire des réalités concrètes. Je craignais les banalités faciles. En bref, me jugeant pauvre et menacé de perdre pied dans les vapeurs du langage, j'abandonnai mon poème. Il subsiste comme un palimpseste dans mes écrits postérieurs. Je sortis de cette aventure avec un profond besoin de mieux connaître les traditions de mon pays.

Je reviens au cher Marius en visite chez moi. Quelque temps auparavant, j'avais acheté son *Romancéro* ; et parfois, au cours de nos longues veillées presbytérales, ma sœur Blanche et moi faisions de la musique. Les chansons du beau recueil me parlaient à l'âme. Elles m'introduisaient dans un monde, d'où je n'aurais point voulu sortir. La *Plainte du coureur de bois* surtout m'avait très vivement impressionné. J'en ai parlé dans *L'Abatis.* C'est à la suite de ce mystérieux barde de l'Ouest, Pierre Falcon, que j'entrai dans le folklore. L'ami Luc m'y avait précédé.

Le jour de cette première visite de notre Marius en fut donc une de réconciliation. Il fut ému de nous entendre. Je revois encore sa belle tête aux écoutes, sa grosse tête de Beauceron, de cette Beauce du rang de la *Machoire tranquille.* Il était alors, le noble et savant ami, bien loin de prévoir que, plus tard, devant l'Acfas, je prononcerais son éloge, et qu'en présence de notre bizarre Académie canadienne-française, il ferait le mien.

(On pourra lire cet éloge dans mon livre intitulé *Discours*. Mais la bibliographie des œuvres de Marius y est bien incomplète.)

Oh ! qu'avec nos passions, nos préjugés, notre ignorance, il est difficile de juger les autres. Les reins et les cœurs sont, pour nous, insondables. Ils sont le secret entre Dieu et l'homme. Et c'est pourquoi le Seigneur s'est réservé le jugement, le seul juste, pour le temps qui viendra de « chaque chose ». *Tunc tempus omnis rei erit,* a dit le sage Salomon (*Eccles.*, 111, 16, 17). Car, à la fin, il y aura un temps, un jour suprême et définitif. Et alors, l'homme ouvrira les yeux sur l'homme et combien de ses impitoyables verdicts (*vere dictum*) seront alors confondus !

Les passions politiques sont à craindre : elles nous égarent, parce qu'elles sont, comme des loups, affamées de pouvoir et d'argent.

Voilà qu'un homme a travaillé pour le bien de son peuple. Il a vécu quelques sûrs et certains principes. Il a soutenu, défendu quelques bonnes idées. C'est déjà beaucoup. Cela fait un estimable contrepoids à ses défauts et à ses erreurs. Je ne m'arrêterai donc point à ses misères. Je ne le jugerai point uniquement sur les injustices où il fut parfois entraîné. J'irai, de préférence, aux profondes intentions de l'âme, vers ce qui, sous les fautes, subsiste de bon, de noble, de pur. Et pour tout le reste, je répéterai la parole d'Ézéchias au Seigneur : « Tu as rejeté derrière ton dos tous mes péchés » (*Isaïe*, 38, 17).

Je fus introduit à Monsieur Duplessis, alors chef de l'Opposition, par l'ami Ernest Laforce. J'étais jeune prêtre. Je m'étais fait toute une idée de l'homme politique. Je prévoyais naïvement une tête penchée sur la carte d'un immense pays et scrutant les problèmes du bien commun. Le futur Chef, comme on devait l'appeler — regards très vifs et sourire un peu moqueur — m'ouvrit tout fraternellement sa porte. Il se contenta d'être simple et gentil.

Je devais le revoir, Premier Ministre, à La Malbaie. C'était à l'issue d'un discours où il avait soutenu la candidature du docteur Arthur Leclerc. Oh ! ce n'était point l'éloquence de Bourassa qui m'avait soulevé quand j'étais plus jeune. Mais le Chef avait des accents que le Paysan du Danube n'eût pas reniés. L'accueil du bon peuple avait été chaleureux. La maison du docteur Lacourcière où il était reçu s'était remplie de partisans avides de l'approcher. Je trouvai quand même le tour de le tirer à part, dans un coin, parmi les pilules et les bistouris, et lui serrant avec force le bras, je lui dis à peu près ceci : que l'un des plus éminents et pressants services qu'il pût rendre aux siens, c'était l'institution d'une radio provinciale. Je prévoyais alors ce que pouvait devenir cette puissante et dangereuse machine pour l'éducation, la culture, la liberté de notre peuple. Elle aussi devait être autonome. Le Chef m'écouta avec attention et me répondit : « J'aimerais vous revoir. »

Ma troisième entrevue fut orageuse. Elle eut lieu alors que j'étais doyen de la Faculté des Lettres. Les seigneurs Labrie, Parent, l'ami Lacourcière et moi-même avions fondé les Archives de Folklore. On nous avait accordé un budget de $800. C'était bien peu pour une si grande œuvre. Nous décidâmes d'aller frapper à la porte d'argent. Nous nous rencontrâmes, le docteur Leclerc, Mgr Parent, Lacourcière et moi-même, mais, cette fois, dans le bureau de Monsieur Duplessis. C'était l'époque où la Faculté des Sciences sociales tirait à boulets rouges sur lui. Profondément blessé par ce qui, dans *Le Carabin,* journal des étudiants, s'écrivait contre lui, le Premier Ministre écouta notre plaidoirie en faveur de nos traditions populaires. Puis, il fonça, tête basse, sur l'Université. Il avait devant lui une cible : notre malheureux Recteur, qu'il soupçonnait — bien à tort — d'être de connivence avec ses ennemis. Nous ramassâmes nos projets en désordre, et adieu nos Archives !

Mais j'avais compris ce jour-là comment, dans les matières sérieuses, il fallait aborder notre homme. Se garder surtout de lui offrir une tribune où il pût se purger de ses humeurs. Je résolus donc d'aller, mais seul, à un autre Duplessis.

J'eus, dans la suite, plusieurs entretiens privés avec mon Premier Ministre. Ces entrevues ne sentaient plus la poudre, mais furent très paisibles et fructueuses : une subvention de $25,000 fut accordée à notre œuvre.

C'est lors de ma dernière visite à Monsieur Duplessis que je lui suggérai de présenter un bill dont le titre devait être : *Loi pour la conservation et l'illustration des traditions populaires du Québec*. Le projet lui plut tant et si bien qu'il prit le téléphone et demanda à un officier ministériel de m'aider à préparer cette loi. C'était en automne. Le pays déjà beau, me l'apparut plus encore. Mon drapeau intérieur déplié claquait au vent de la noble devise *Je me souviens*.

Mais, hélas, vint l'hiver ; et comme rien de mon cher projet n'apparaissait à l'agenda de la prochaine session, j'osai un soir appeler mon Premier Ministre au Château Frontenac. Mon impatience m'avait rendu très gauche. La circonstance ne pouvait être pire. Des appels au secours affluaient de Nicolet alors sinistré. Les finances de l'État étaient en danger... et mon bill mort-né fut enterré dans les profonds tiroirs funèbres du Gouvernement où il gît encore.

Cætera desunt... mihi !

Monsieur LeNoblet-Duplessis était un homme de valeur et de probité. Sorte de baron féodal de la politique, doué d'un lucide instinct de prudence pour les affaires de l'État, il était d'une parfaite générosité de cœur pour les amis et pour les pauvres.

Son caractère entier, autoritaire l'a, par contre, privé des conseils et du soutien de patriotes éclairés et qui eussent pu rendre d'éminents services à son gouvernement. Je pense ici aux Hamel, Laurendeau, Chaloult, Grégoire et Gouin.

Les dictatures, quand elles se prolongent, sont pourvoyeuses d'ennemis irréductibles. Il n'en a pas manqué. Il a gouverné à l'époque où notre historien national, Lionel Groulx rappelait avec amour et autorité ce que nous fûmes et, pour le bien de notre avenir, nous pressait d'écouter *Notre Maître* le *Passé.*

Mais, hélas, nos mesquines passions politiques, et ce que Mercier appelait nos luttes fratricides nous divisèrent lamentablement alors que, petits et gravement menacés par toutes sortes de périls évidents ou sournois, nous aurions dû faire l'union sacrée.

Monsieur Duplessis n'a pas connu la défaite. Il est mort dans ce Nord lointain où son devoir l'appelait. Un immense cortège a suivi sa dépouille jusqu'au lieu de son repos où ses ennemis s'acharnent encore à piétiner ses restes.

J'eus d'heureuses occasions d'apprécier ses hautes qualités de cœur et d'esprit, et je m'incline devant la mémoire d'un honnête homme qui aima profondément et incontestablement Dieu et sa patrie.

Très cher François-René, vicomte de Chateaubriand, haut seigneur du verbe français, tu fus l'un de mes maîtres préférés. Une mystérieuse amitié me portait vers ton esprit de foi, vers les élans de ton espérance, vers ce point d'éternité d'où ton génie dominait les événements et les hommes.

Comme tu le fis d'ailleurs, je fréquentais les maîtres de l'humanisme, mais c'est vers toi que je revenais toujours. Si, parfois, j'avais peine à te rejoindre dans les histoires de ta vieille Europe tourmentée, avec quelle délicieuse et fraternelle attention je te suivais dans ce Nouveau Monde où tu fus, pour moi, un chef, un seigneur et un maître.

Je n'étais alors qu'un jeune mais avide coureur de bois et tu m'apprenais à regarder et à écouter la nature de notre Amérique et jusqu'à ces nuits de lune dont la sauvage poésie m'enchantait. « Les plus belles en Europe ne peuvent en donner une idée, écrivais-tu. En vain dans nos champs cultivés l'imagination cherche à s'étendre ; elle rencontre de toutes parts les habitations des hommes ; mais dans ces régions sauvages, l'âme se plaît à s'enfoncer dans un océan de forêts, à planer sur le gouffre des cataractes, à méditer au bord des lacs et des fleuves, et, pour ainsi dire, à se trouver seule devant Dieu. »

Je fréquentais aussi avec toi les Natchez. Ils me rappelaient le lointain pays où ma grand-mère Mary-Ann-Nathalie O'Neill avait passé son enfance parmi tant d'êtres étranges dont sa mémoire restait peuplée et qu'elle nous racontait : ces alligators, devant lesquels il fallait se hâter de fuir en zigzag, ce serpent à sonnettes qui menaça de la tuer ; et, chez les Noirs, ces noces de sang dont elle teintait ses récits. Je revivais tout cela dans tes pages, comme si tu m'eusses guidé dans un monde que rien n'avait encore pollué. Ainsi se grisait de tes récits une jeune tête couronnée du panache de la liberté et qu'on appelait alors le Caribou.

Romantisme !... dira-t-on. C'est un mot de littérature. Mal du siècle ?... c'est une formule d'époque. Angoisse plutôt de tous les siècles et même du nôtre que ni ses merveilleuses inventions, ni son culte capiteux du confort, ni ses vains appels aux jouissances du plaisir ne peuvent consoler l'homme de son ennui de Dieu.

Defunctus adhuc loquitur, pourrions-nous dire de beaucoup de tes jugements tragiques. D'Outre-Tombe s'élève encore ton verbe majestueux ; et comme celui des Prophètes, il nous avertit de la chute des orgueilleux potentats d'injustice, des politiques et des civilisations de l'impiété.

Et moi, j'écoute ta voix immortelle et te demande : « Ô veilleur, que dis-tu de notre nuit ? » *Custos, quid de nocte ? (Isaïe,* 21, 11).

Les morts nous poussent vers l'avenir, mais il faut prudemment choisir ses morts. Sans trop penser que nous irons bientôt et silencieusement les rejoindre.

La pensée qui stimule le vivant, c'est qu'il peut guider les siens qui viendront après lui vers une destinée qu'il aura avertie des égarements et des malheurs qui la guettent.

L'écrivain ne sait point ce que deviendront les humbles signes qu'il écrit.

Comment Homère pouvait-il prévoir, après tant de siècles, que Pénélope serait encore à son métier, nouant et dénouant la trame de la sainte et invincible fidélité ?

NOTRE ACADÉMIE CANADIENNE-FRANÇAISE

J'y fus reçu solennellement en 1955. L'ami Marius Barbeau étant le grand chef de la tribu des folkloristes, il convenait de le choisir pour me présenter. Il fit de Menaud un héros de conte. Quant à moi, je crus bien faire en parlant des traditions de mon pays.

Mais nos deux braves discours eurent une malheureuse fortune. On nous accusa, en haut lieu, d'avoir, à notre jeune et fière académie, chaussé « des souliers de beu' ». Cendrillon en eût été heureuse ; mais notre Académie ne le fut pas. Et certains échos (que je jugeai injustes) lui étant, par hasard, revenus de France, mon draveur regagna ses forêts et reçut, plus tard, l'avis qu'il avait été académiquement excommunié.

(Voir in *Discours,* cet infortuné discours sur les traditions.)

⚜

Je m'en vais à petites journées dans mes écrits, passant de mon journal à des souvenirs ou à des cogitations sur divers objets.

Les paysans disaient : journée de terre, ce qui signifiait l'espace de terre labourable en un jour.

Ainsi, comme les paysans, je vais : essartant, efferdochant, labourant ma vieille terre, y semant des mots, des idées qui, tomberont-elles sur la route ou la pierre ou parmi les épines ou dans une bonne terre ? je ne le sais point.

Et autour de moi, ce sont les revenances du passé, c'est l'inconsolable présent, c'est aussi le tourmentant avenir. Je m'arrête ; mais, bientôt, les doigts, sous la poussée de l'âme, demandent à marcher...

Il n'est que Dieu pour comprendre tout l'homme et le pénétrer avec les yeux de la miséricorde.

Dans ce laborieux travail que je poursuis sans trop savoir où il me mènera, j'ai parfois l'impression que Dieu se penche paternellement sur mes écritures et, curieux, me dit :

— As-tu parlé de moi aujourd'hui ?

— Oui ! mais bien mal...

Et chaque fois et tout doucement, il me répond :

— Je te comprends et t'aime quand même.

Les solutions armées de violence ne règlent rien. Elles sont des semences de haines.

Croire qu'après une phase de violences et d'injustices, on aura la paix, c'est s'aveugler dangereusement. C'est armer les vengeances et profaner la cause de la justice.

Mais l'histoire du monde, lamentable histoire ! est surtout faite de guerres injustes et cruelles.

Un certain instinct de révolte me remplissait l'âme lorsque mon grand-père, Régis Gosselin, me racontait les campagnes de Napoléon. J'y voyais non seulement des légions de morts dans les cimetières du passé, mais les champs de l'avenir déjà jonchés de cadavres.

En défense.

On me reproche, fort poliment d'ailleurs, le refus du présent et même un certain pessimisme.

Je n'ai pourtant jamais donné dans les fosses noires où sombrent aujourd'hui tant d'écrivains désespérés. Les vrais pessimistes sont là.

Qu'on lise donc, dans *Le Bouscueil,* cette Symphonie du Misereor où ma foi s'élève au-dessus des lugubres champs de la mort et fait entendre à tous mes frères humains les paroles de la divine espérance !

Que demander de mieux à un vieux prêtre que d'évoquer la miséricorde du Père, que de rappeler les promesses de paix et de bonheur qui sont inscrites aux portes de la Cité de Dieu ?

Mais, en attendant, l'inquiétude n'est-elle pas comme un besoin de l'amour ? Comment, en effet, n'être pas inquiet dans notre monde d'aujourd'hui où, même dans l'ordre économique, les esprits les plus sérieux nous prophétisent, au nom de la science, les pires désastres ?

Et alors, un petit peuple comme le nôtre déjà gravement menacé dans ses forces vives, comment ne serait-il pas inquiet lorsqu'il voit, démantelés, tous ses remparts : religion, famille, langue et mœurs et la vie de la nature elle-même ? On ne s'attend toujours pas à ce qu'en face de ces évidences troublantes je batte des entrechats et applaudisse tous les démolisseurs de mon pays.

Pessimiste ? Non. Je me défends d'être une sorte de vieil Hamlet boudeur et rechigné sur les remparts du Québec.

J'ai eu le bonheur de recevoir chez moi beaucoup, beaucoup de jeunes. Avec quelle attention ils m'ont écouté lorsque, tout bonnement et tout respectueusement, je leur rappelais certaines vérités qu'ils portaient et semblaient heureux de retrouver au fond d'eux-mêmes ! C'était là, je pense, ce que pouvait, ce que devait faire un vieil homme qui a puisé chez l'humble peuple une certaine et vivifiante sagesse, et dans les plus grands livres sacrés et profanes, l'expérience des siècles et les avertissements des plus nobles et des plus profonds penseurs.

Je continuerai donc, en toute conscience et amour, à tirer du passé tout ce qui me semble être utile encore et pour toujours à l'avenir de mon pays.

Il faut être de son temps. Oui, bien sûr ! Mais il est sage d'être un peu, aussi, de tous les temps.

⚜

Il faut repenser, i.e. repeser pays, religion, race, science, civilisation, éducation, etc. Je veux dire qu'il faut continuellement purifier ces grandes notions qui portent leur vérité en elles-mêmes mais sont dans le temps des hommes et subissent leurs passions.

Les vrais critiques sont rares. Je les respecte. Ils me font du bien. Eux seuls sont entrés, avec leur intelligence, leur cœur, leur culture, jusqu'au plus profond des œuvres. Ils en sont devenus inséparables.

Quant aux autres, tout fiévreux qu'ils sont, tout pressés, voués à l'éphémère, aux modes, aux partialités des clans, ils se laissent hélas, entraîner au malin plaisir de se décharger sur autrui de leurs propres préjugés et servitudes.

Quant à moi, je ne me complairai pas à compter les tares morphologiques, les erreurs fonctionnelles de mes frères. J'enfouirai tout cela dans la pitié. Je ne confondrai pas responsabilité et culpabilité.

J'irai à l'âme. J'écouterai chez mes frères, les sourdes plaintes de l'âme angoissée. Je chercherai tout ce qui subsiste de pur, de noble, de grand.

Pensant à mes propres misères, je voudrais faire mien le célèbre boustrophédon que les Grecs avaient inscrit sur l'un des bénitiers de Sainte-Sophie :

N I Ψ O N A N O M H M A M H M O N A N O Ψ I N

Lave ton péché et non seulement ton visage.

À un ami :

... Après cette lettre un peu sombre que vous m'avez écrite et ces inquiétants désirs d'évasion sans retour, pourquoi n'accrocherais-je pas la lune dans votre ciel ?

Pour moi-même, oh ! combien noire était tantôt la nuit. Mais voici que je vois l'astre amical et fidèle qui monte ; et sur les monts, les forêts, les lacs et parmi les roseaux, il étend sa paix de silence et de lumière ; et sur le fleuve, il jette des ponts d'or pour les pas de nos songes.

Mais, aux rivages où le Père nous a placés, n'imitons point, de grâce, l'enfant d'Anishwabé.

C'est pourquoi je vous raconte cette émouvante histoire que j'ai trouvée dans les légendes indiennes. J'en ai même tiré un petit poème qu'avec affection je vous dédie.

L'ENFANT DANS LA LUNE *

Le vieil Anishwabé, qui vivait seul avec sa femme, avait adopté un jour un petit enfant, abandonné par ses parents dans la forêt.

Comme il habitait tout près d'un lac où l'enfant aurait pu se noyer, le vieillard lui avait défendu de s'éloigner de la hutte.

---

* *Légendes indiennes du Saint-Maurice,* par Dollard Dubé, 1933. Voir *Les Pages trifluviennes,* Série C, no 3.

Mais quel est l'enfant qui obéit à toutes les recommandations de ses parents ? Un soir, profitant du sommeil de son père adoptif, le petit se rendit au bord du lac.

Un spectacle merveilleux l'attendait là. Sur la belle nappe d'eau luisante, la lune étendait un long ruban doré. Ce qui frappait le plus l'enfant, c'est que le beau ruban restait toujours en face de lui partout où il allait. Mais il y avait une cassure au bout, là-bas, et le petit se disait :

« Si je pouvais marcher sur le ruban et aller attacher le bout après la belle boule qui est en l'air, grand-père serait bien content ».

Il décida d'essayer. Il marcha longtemps sur le long ruban posé sur l'eau, mais sans se mouiller. Plus il avançait, plus il montait, si bien qu'au bout de quelques heures il était rendu dans la grosse boule dorée. Ce qu'il trouva était ravissant ; mais quand il songea à s'en retourner chez lui il faisait déjà jour et le petit ne vit plus ni ruban, ni eau, ni wigwam.

Alors il retourna jouer avec les petits lutins ; mais il revint plusieurs fois dans la suite au cours des belles nuits, quand le beau ruban d'or revenait s'étendre sur le lac, pour sourire à son père adoptif et l'inviter à venir visiter la belle boule.

Comme le vieux mourut au cours d'une claire journée de juillet, le petit n'en eut pas connaissance. Aussi il le croit toujours vivant et lui sourit souvent de là-haut comme autrefois.

POÈME D'ANISHWABÉ

Ce chemin d'or sur l'eau qui vers la lune mène,
C'est celui-là que prit l'enfant d'Anishwabé.
Mais ce beau pont de nuit, le jour l'eut tôt brisé :
L'enfant ne revint pas. Son père fut en peine.

Et depuis, sur la lune, avec Pierrot lunaire,
Il s'amuse à jouer au cerceau sidéral ;
Ou, par moments, penché sur le pays natal,
Croyant le voir encor, il sourit à son père.

Cette histoire d'enfant peut sembler trop ancienne.
Mais, en rêve du moins, qui de nous ne prendra,
Cherchant contre l'ennui quelque issue à sa peine,
Le beau pont d'or des nuits d'où l'on ne revient pas ?

Je tourne toujours autour des mêmes idées. Je cherche le profond, le centre d'où procèdent les êtres. J'ai soif de la source première, vitale, celle que les hommes n'ont pu, ne pourront jamais polluer. Et parfois, je crois l'entendre. Elle me parle tout bas au cœur. Elle murmure les mots les plus simples, mais qui disent l'essentiel. Et par moments, elle chante, elle m'appelle et je lui réponds par quelques mots d'amour.

J'écris peu de choses qui puissent intéresser les littérateurs. (Quel mot qui n'est qu'un masque !).

Les hommes dont je puis, dont j'aime parler sont, la plupart, des humbles, des inconnus. On ne retrouve leurs noms que dans les registres baptismaux et obituaires de l'Église. Qui s'intéresse à eux qui ne sont point dans les fastes de la gloriole ?

J'ai connu peu de vedettes. La plupart étaient locales, éphémères.

Mais il y a ce peuple que j'ai tant aimé. Mais il y a son destin qui m'a tant inquiété. Mais il y a ce que j'ai appris de lui, ce que j'ai reçu de lui, et que je ne voudrais pas qu'il meure à jamais, et que je voudrais dire. Des visages qu'on ne voit pas dans les livres sont autour de moi et me pressent. Et je souffre de l'impuissance de ma pauvre plume. Il faut tant aimer pour être un peu digne de ce petit instrument qui tremble souvent entre les doigts !

⚜

D'Abitibi, du canton Chazel, je reçois une lettre de celle que j'appelle la tante Edith, madame Armand Bouchard. Ce ne sont point les clichés qu'on achète chez le marchand général, mais le récit naïf et détaillé de sa vie de pionnière dans ce pays neuf où je les plaçai, elle et sa famille, vers les années 1935. Que de souvenirs qui sont parmi les plus émouvants de ma vie !

Elle revient d'une promenade dans son pays natal de Charlevoix, de la Baie-des-Rochers, le Saint-Basque de *La Minuit,* où elle demeurait tout près de sa sœur, madame Philéas Morneau dont j'ai parlé dans mes souvenirs d'enquêtes de folklore (voir *Journal et Souvenirs,* I). Je cite : « Nous avons fait un très beau voyage et bon, car nous avons mangé du gibier, du hareng, de l'éperlan, de la truite, etc. J'étais contente de revenir à Chazel, mais mon Armand (son mari) a eu bien de la difficulté à se raplomber... Ce voyage l'a fait ennuyer tellement qu'il en était décourageant ; il n'avait plus de goût à manger ; toujours pensif, il en faisait pitié. »

On devine sous ces simples mots le drame des déracinés.

On ne peut imaginer plus grand cœur que le cœur de cette paysanne, plus complet dévouement aux siens et à toutes les familles du canton, plus de charité discrète, plus de courage chrétien dans les épreuves et dans la pauvreté.

C'est parmi les épinettes noires, l'amoncellement des abatis, les souches tenaces, sur cette glaise pâteuse, massive, si pénible à travailler, qu'il me fut donné de revivre, un peu comme Louis Hémon l'a vécu, ce temps de notre civilisation la plus vraie, la plus naturelle, la plus révélatrice du génie de notre race. L'époque des grands défrichements est passée ; mais quoi qu'on en pense et dise en certains quartiers, l'importance des vertus primitives de foi, de travail, d'humble soumission à l'ordre de la nature demeurera toujours.

Réfléchissant à ces œuvres auxquelles je fus mêlé, autant je plains ceux qui exploitent les curiosités malsaines, les turpitudes et les impiétés de ce qu'on appelle notre civilisation d'aujourd'hui, autant je remercie Dieu de m'avoir fait connaître et aimer les défricheurs et les défricheuses de mon pays.

⚜

Rêve de coquillages beaux, chatoyants, que, pour le bonheur des yeux, on ne cesse de tourner entre ses doigts pour y admirer les jeux et les chatoiements de la lumière. Pures porcelaines nées dans les profondeurs obscures de la mer. Chaque vague, sur un sable très blanc, en jetait quelques nouvelles à mes pieds.

Mais, ce matin, c'est la neige, autre merveille. Elle irradie au soleil l'or, le rouge et le bleu. Splendeurs brèves, froides, cristallisées, mais splendeurs !

Comme un vieux joaillier penché sur ces lumineux trésors, je regarde ébloui.

⚜

Visite d'une famille pauvre qui vient me présenter ses vœux du Nouvel An. La mère s'est fait une toilette voyante. Mais je pense au garde-manger de sa maison. Un garçonnet est rachitique : tout jeune et ce long visage déjà couleur de cendre ! Il fait peine à voir.

Nous avions préparé quelques menus cadeaux. Mais qu'est-ce que cela pour tant de besoins ? On donne ainsi pour soulager sa conscience... Mais, comme un reproche, me revient le visage de ce garçon qu'une aumône de passage, que des friandises ne pourront sauver. Une pensée me trouble : au jour du Jugement, il sera là, peut-être, comme témoin à charge : « J'ai eu faim ; et vous ne m'avez donné que des miettes... »

L'immense armée des pauvres ! En face de laquelle notre égoïsme, nos vanités, notre luxe ! Injuste, inhumain partage des biens de ce monde. Arrivera que ce qui devait se faire dans l'amour se fera, bientôt, peut-être, dans la haine, le feu et le sang.

Un lointain souvenir de mon enfance me revient. Celui de cette très pauvre femme que les gens appelaient *la* Boies. Elle était notre pourvoyeuse de bleuets. Elle partait au petit matin d'une lointaine concession de Sainte-Anne, et portant ses deux seaux, marchait, pieds nus, jusqu'au village où elle se chaussait pour entrer en ville. Je n'ai pas oublié cette pauvresse, sa maigreur, son squelette à fleur de peau, son teint hâve, tanné par la misère, ses longues mains aux doigts crevassés de gerçures : les mains qui cueillaient pour nous, parmi les mouches noires, les plus beaux bleuets que j'ai vus, au velours bleu de ce bleu de roi de France, joyaux des fruits du nord.

Ma mère qui la prenait en pitié la payait, la réconfortait, lui donnait du linge pour ses enfants ; et la pauvre mère regagnait, pieds nus, sa misère parmi les cassolettes où mûrissaient pour nous les fruits sauvages, d'un bleu royal sous l'impitoyable soleil de juillet.

Elle est morte, sans doute la pauvre femme ; mais, par moments encore, un fantôme aux mains tendues, aux doigts gercés, rôde suppliant, dans les sentiers de ma mémoire.

⚜

Pour ce matin d'hiver où l'on doit se calfeutrer dans son pensoir, je fais quelques provisions de sagesse... « cette sagesse qui s'éloigne de nous à mesure que nous approchons de tout ce que, dans une confiance excessive en nous-mêmes, nous dénommons le savoir : ce savoir humain si distant de la vraie Sagesse qui ne se trouve qu'en Dieu » (Jacques Chevalier, *Histoire de la Pensée,* vol. I, p. 254).

⚜

Je lis, de temps à autre, deux ou trois pages du savant lexique de Geneviève Massignon : *Les Parlers français d'Acadie,* (Paris, Librairie C. Klincksieck, 2 tomes).

Que de richesses où je retrouve la mer, les champs, les bois, les mœurs, malheurs et souffrances de ce peuple que j'ai tant aimé ! Les liens sont savamment refaits avec la langue populaire des provinces de France d'où sont venus nos frères acadiens.

J'avais invité l'éminente linguiste à donner des cours à Laval : son érudition, sa discipline pouvaient nous être de la plus grande utilité. Geneviève Massignon avait accepté de venir à Québec. Nous l'attendions. Mais, à Paris, un matin qu'elle tardait à sortir de sa chambre, inquiète et sans réponse, sa mère la trouva morte au milieu de ses manuscrits.

Le Québec eût dû honorer sa mémoire. Que mon témoignage ému soit ici l'humble réparation d'une grave injustice !

« Les mythes mettent la raison au contact des traditions primitives de l'humanité et de ces idées que nous ont transmises les Anciens qui valaient mieux que nous, étant plus près des dieux » (Platon. Cf. Jacques Chevalier, *Histoire de la Pensée,* I, p. 250).

Mythes : récits, fables : ce qui fut dit autrefois, dans le vieux temps. C'est un mot devenu commode pour boucher les trous de l'ignorance. Dès que certains pseudo-savants refusent d'approfondir les choses, ils parlent de mythes...

La véritable science est pure. Elle est bonne. Elle est un don de Dieu. Les grands savants sont des êtres purs. Ils cherchent innocemment la vérité. Ils ne sont pas à craindre.

Mais il y a les hommes que possèdent toutes les concupiscences de la chair et de l'esprit. Ils corrompent les découvertes de la science. Ils les prostituent à leurs fins égoïstes, à l'argent, au plaisir, au pouvoir. Ils les asservissent pour le malheur des peuples.

Jaculatoire, jactance : deux mots issus d'un même père. De *jacio,* jacto (fréquentatif) : jeter sur, jeter vers, jeter contre.

Oraisons jaculatoires : « comme des traits enflammés qui tout à coup partent de l'âme et percent le cœur de Dieu » (Bourdaloue). Et alors, je vois, dans *jaculatoire,* le Publicain de l'Évangile. Il est agenouillé sur le parvis du vestibule du temple. Il n'ose lever les yeux vers le ciel : il gémit : « Ô Dieu, ayez pitié du pécheur que je suis... »

Mais l'autre, le Pharisien de la *jactance,* c'est à haute voix qu'il se vante : « ... je ne suis pas comme le reste des hommes... je jeûne... je donne la dîme... » Trop plein de son orgueil, il n'entend pas le Seigneur qui lui dit : « *Qu'as-tu que tu n'aies reçu ?* »

Jaculatoire... jactance : ainsi les familles de mots ressemblent aux familles humaines où les passions, les morales, les caractères les plus opposés s'affrontent.

Il y aurait une étude à faire là-dessus. La langue révèle l'homme.

La grande Poésie est insociable et farouche. Elle exige la solitude et le recueillement. J'aime ce dernier mot qui veut dire qu'on refait des liens qu'une civilisation tapageuse ne cesse de briser. Besoin vital de l'âme de relier tout son être avec le lien d'une seule et ineffable pensée.

« Les peintres d'icônes, autrefois, à Byzance et en Russie, devaient se *recueillir,* prier, jeûner avant de se mettre au travail, comme pour aller recevoir la communion » (Brice Parrain, *De fil en aiguille,* I, p. 160).

Les grandes œuvres de l'art sont nées de cette ascèse de recueillement.

⚜

J'ai vécu, cette nuit, la parfaite nuit immobile et recueillie. Et, comme ravi à ma triste chair, j'écoutais avec délices ce silence infini que l'âme aime entendre. Silence essentiel et suave ! enfin goûté dans la paix d'un ordre sans frayeur.

J'étais aux bords lointains d'un lac que les bruits et folies d'un vain monde n'ont pu atteindre encore. Minuit avait roulé le rideau des orages. Les vents calmés respectaient mes songes. Et par intervalles, seul s'élevait le cri d'un huard pareil à celui de l'âme poussant tout droit dans l'immense nuit silencieuse et recueillie son trémolo de prière.

⚜

J'ai retrouvé, dans *La Presse,* un bref article sur Henri-Irénée Marrou. On sait l'affection qu'il porte aux Canadiens français.

C'est cet admirable et profond savant qui m'avait présenté à la Sorbonne, et en des termes qui m'avaient mis fort à la gêne. Menaud sorbonnard ! Eût-il pu prévoir telle aventure ? Je cite un extrait de ce reportage signé G.M. dans un journal du 13 novembre.

« Henri-Irénée Marrou n'a rien du pessimiste, et il voit l'avenir du Canada français comme un avenir ouvert. Notamment en ce qui concerne la langue française. Il a noté un progrès très net, chez les étudiants, dans ce domaine. Il écarte la question du « joual », qu'il considère comme un faux problème et rappelle les recherches folkloriques qu'il a faites en compagnie de Luc Lacourcière qui est, souligne-t-il, un savant de tout premier ordre. Les paysans du Québec parlent une langue très saine, comparable à celle des paysans de France. Le problème est venu du passage à la ville, à la civilisation technique, dans laquelle le vocabulaire paysan d'hier n'a plus cours.

— La solution ?

— Une élévation constante du niveau de l'enseignement. L'ouvrier d'ici n'est pas plus éloigné du français comme langue de culture que ne l'est l'ouvrier français...

De toute manière, pour M. Marrou, le Canada français est entré pour de bon dans le monde moderne, et c'est en français qu'il s'y exprimera. Optimisme raisonnable, ou souhait fraternel ? Ce que je sais c'est que les dangers qui menacent notre langue sont autrement graves ici qu'en France.

⚜

Charlevoix ! Depuis que les citadins s'ennuient mortellement dans leurs *blockhaus,* mon pays se plaint de ne plus être qu'un pays d'amusement, de festivités souvent bouffonnes et qu'excite la réclame commerciale. Il est donc fort mal à l'aise, troublé dans sa paix, son silence, sa sagesse traditionnelle.

Que de choses sérieuses il aurait à dire ! Mais il parle sa langue à lui et que comprennent ceux-là seuls qui veulent l'écouter tout humblement, tout respectueusement. Car les choses les plus profondes ne veulent point s'ouvrir aux oreilles endurcies. Elles se réservent pour l'amour, pour la science, pour la poésie... Et alors !

Or, voici que Charlevoix s'est mis à me parler : « Je souffre d'incompréhension, d'inculture, d'incurie », m'a-t-il dit.

« Ces pendants rocheux, hostiles à la charrue, ils pourraient encore pousser des pins. Jadis, on y coupait de ces grands arbres pour les mâts de la marine royale française. Il en reste encore quelques-uns. Rappelle-toi celui de la coupe de Sinigole et qui semblait sortir de la célèbre estampe du peintre chinois Wou-Tao-Tsen ; et aussi, ces puissants pins rouges où nichaient les hérons bleus de la Baie-des-Rochers ; et celui qui, courageusement agrippé aux pierres, faisait avec une si noble élégance le geste de saluer la mer.

« Et encore, mes pendants à flanc de montagne, ils pourraient pousser même des chênes. Il en poussait, jadis. Témoin, cet obstiné rejeton, le long de la voie ferrée. Tu l'aimes, tu vas le voir, pour le consoler des mutilations que les sapeurs lui ont infligées.

« Et ces terres arables, que, las ! on abandonne, elles produisaient du blé. Le géographe Blanchard l'a dit. Il reste encore quelques rares moulins qui ne moulent plus guère que des souvenirs. Moulanges en pierres de France, blutoir, trémie, fleur de farine tamisée par une fine soie, de France aussi, moulins à eau, bavards et chantants selon l'heure ; vieux moulin seigneurial de l'Île-aux-Coudres qui ne moud plus que du vent ! Toutes ces simples machines étaient accordées avec l'homme, la terre et les saisons pour un bon pain de ménage croustillant et doré, goûtant un peu la levure de bière ! Et dans les campagnes du matin, ces chaudes haleines de four l'embaumaient !

« Et encore, ces terres que tes ancêtres ont érochées et qui sont, la plupart, laissées à la ferdoche et à l'aulne, elles voudraient encore, dûment fertilisées, produire des patates et des gourganes. Oh ! ces gourganes de Charlevoix, hampes de fleurs pareilles à des papillons, puis, cosses bourrues de ces grosses fèves aussi riches en vitamines que les plus riches du monde. Le climat de Charlevoix leur va parfaitement.

« Que de choses ! savoureuses, nourrissantes, vitales, Charlevoix et tant d'autres pays du Québec pourraient produire si l'on se donnait la peine de vouloir !... Vouloir !

« Alors que le chômage est devenu une sorte de débilitante industrie subventionnée par les gouvernements, et que le culte effréné du plaisir a remplacé le travail, les campagnes du Québec beuglent d'ennui vers l'homme. Quelle tristesse ! »

Ainsi me parla mon pays. Et alors, comme s'il se fût mis à revivre dans toute son étendue, avec tout son génie, toutes les puissances et richesses que Dieu lui avait imparties, je vis une sorte de printemps miraculeux que ressuscitaient les fertiles images de mes désirs : C'était comme un tourbillon d'idées qui me tournaient en tête et que d'aucuns trouveront un peu folles, les unes, frottées de science, les autres, plus nombreuses, parées de poésie, mais toutes issues du sol et inspirées par l'amour des miens et l'avenir de mon pays.

Je voyais donc, comme dans une réalité, ça, sur toute terre arable, des cultures vivrières, des potagers, des pâturages ; et là, de belles enclaves reboisées de bons bois, des étangs artificiels peuplés d'oies et de canards, des rivières enfin propres et limpides, grouillantes de truites et de saumons ; et pour humaniser toute cette nature, je rétablissais dans des demeures paisibles, belles et avenantes, des familles heureuses, craignant Dieu, parlant bien, continuant, en somme, dans l'ordre et la fécondité, l'œuvre admirable de nos pères.

Que de choses ! où l'on dira, peut-être, que je prends une *lire,* que je délire, ce qui veut dire que je sors du sillon... Mais non ! je ne délire point. Fort loin des extravagances et des souillures d'aujourd'hui, j'ai essayé de rejoindre, d'un pas sûr et mesuré, cette nature où Dieu travaille et nous attend.

Je fus, je suis un paysan inconsolable. Et à ceux qui m'en feront reproche, je répéterai la parole de Montesquieu : « Nous autres, paysans, nous ne sommes pas assez savants pour raisonner de travers. »

⚜

Après l'aridité de ces derniers jours, enfin ! les pianos du ciel, et c'est, qu'aucun vent ne trouble, les jeux d'une pluie très douce.

Je regarde une feuille heureuse qui frémit, vibre, s'incline et, lourde, se déverse sur le sol assoiffé.

Recevoir et donner !

Quelle rafraîchissante merveille ! mais dont, seul, un virtuose de la pluie peut jouer la musique.

⚜

L'âme humaine, purifiée, jouit de la vérité, de la bonté, de la beauté des êtres. En sorte que, par moments, elle peut faire siennes les paroles de la Genèse : *Vidit quod esset bonum.* Et alors, tout se passe dans l'âme ainsi réconciliée comme si Dieu lui-même se complaisait dans ce regard qu'elle jette sur les biens même sensibles de l'univers. Il dit quelque part que ses délices sont d'être avec les enfants des hommes.

Marchant dans les bois et les champs de mon pays, parfois j'ai ressenti cette délicieuse Présence, ce divin compagnonnage où je ne savais plus si c'était moi qui parlais ou chantais en Dieu ou Dieu qui parlait ou chantait en moi.

Le vent et l'eau du soir,
étant enfin d'accord,
ont composé ce calme.
Le vent a dit au soir,
le soir a dit à l'eau :
« *Les étoiles vont naître.*
Faisons-leur un miroir
entre quatre roseaux. »

Lac à l'Étoile
Charlevoix.

ANTIENNE D'AVANT SILENCE

Il ne faut pas bouger,
crainte qu'il ne s'effarouche :
Il est tout près de moi,
Il est sur chaque fleur,
l'Ariel oiseau-mouche
à gorge de rubis.

Voici qu'au vent du soir
frissonne l'herbe d'or ;
qu'en robes de satin
se promènent sur l'eau
les princesses du soir.

J'entends des voix d'enfants,
J'entends des chants d'oiseaux
sous la feuille endormie.

Vaporeuses, légères,
s'effacent les montagnes.

Nous marcherons en silence, mon âme,
écoutant,
de l'heure brève d'aimer
le divin pas de velours
qui passe dans la nuit.

L'artisan *est* véritablement tout entier là où il est avec ses outils.

L'écrivain est véritablement et tout entier là où il est avec ses plumes, ses papiers.

Et, de même, le peintre, le musicien, le sculpteur et autres *vrais* artistes.

Et c'est quand je les vois, les entends ou les lis que j'apprécie au mieux l'ineffable don de Dieu. Et ce texte de l'*Exode* me revient : « Yahvé a choisi Béseléel, fils d'Uri, fils de Hur, de la tribu de Juda. Il l'a rempli de l'esprit de Dieu, de sagesse, d'intelligence et de savoir pour toutes sortes d'ouvrages, pour faire des inventions, pour travailler l'or, l'argent et l'airain, pour graver les pierres à enchâsser, pour tailler le bois et exécuter toutes sortes d'ouvrages d'art. Il a mis aussi dans son cœur le don d'enseignement, de même qu'en Ooliab, fils d'Achisamech, de la tribu de Dan. Il les a remplis d'intelligence pour exécuter tous les ouvrages de sculpture et d'art, pour tisser d'un dessin varié la pourpre violette, la pourpre écarlate, le cramoisi et le fin lin, pour exécuter toute espèce de travaux et pour faire des inventions. » (*Exode*, XXXV, 30-36.)

Ombres et lumière.

L'intelligence humaine va cahin-caha dans les sentiers de lumière et d'ombres.

Il y a diverses sortes d'ombres.

Il y a, dans La Fontaine, ces vers de solitude et d'ombrages qui me sont tant de fois revenus :

... Lieux que j'aimai toujours, ne pourrai-je jamais,

Loin du monde et du bruit, goûter l'ombre et le frais ?

Cette ombre est comme une main fraternelle et très douce qui passe sur le front pour le rafraîchir.

Il y a les ombres de Virgile :

Majoresque cadunt altis de montibus umbræ.

Je les ai vues descendre des montagnes de mon pays, ces ombres qui s'allongent sous le pas lent du soir.

Il y a les ombres claires, chamarrées de soie et d'or des lumineux sous-bois de nos érables d'automne. Et parmi le bruissant trésor des feuilles tombées, marche le poète en pensant à l'impossible poème qu'il aimerait tant écrire sur cette somptueuse page des saisons.

Il y a les ombres figurées, noires de nos bois de conifères : débris d'étés antérieurs, formes fantastiques, ressemblances hallucinantes auxquelles n'ose point s'attarder la pensée craintive.

Il y a les ombres de la poésie dans les forêts du verbe. Et c'est le besoin d'entremêler aux courtes clartés de la raison les ombres d'un au-delà où modulent les voix étranges du mystère.

Sainte pénombre du silence et des attentes de l'âme ! Ombre des ailes de Dieu ! *In umbra alarum tuarum sperabo :* Sous l'ombre de tes ailes, je vis d'espérance, murmure le vieillard.

Collines de Charlevoix ! Formes douces et concertantes. Que de fois, pour des musiques intérieures (que personne n'entendra jamais) j'ai battu la mesure à ces terres harmonieuses !

Gloire de l'horizon, trônes de l'aurore et du soir, montagnes de Charlevoix que Menaud aimait. Souverain pays de la liberté ! Tandis que nous cheminons, pauvres humains angoissés, sur des routes pleines de fureur et de bruit, que de fois j'ai levé les yeux vers vous.

⚜

Sur la paix. Lire à ce propos la Lettre XLVL de Marie de l'Incarnation à son fils. Elle décrit une cérémonie de paix entre les Français, les Iroquois et autres nations du Canada. (Voir *Écrits spirituels et historiques de Marie de l'Incarnation* par Dom Albert Jamet.)

On remarquera dans ce texte peu connu l'extraordinaire, la haute idée que les Indiens avaient de la paix. Un traité n'est pas une simple formalité conventionnelle. La véritable paix est reliée à l'ordre cosmique. Elle replace les hommes dans cet ordre éternel qu'ils avaient follement détruit. Et cet ordre est mimé.

C'est ainsi qu'on peut voir l'ambassadeur des nations iroquoises s'exprimer « d'une manière si naturelle qu'il n'y a point de comédien en France qui exprime si naïvement les choses que ce sauvage faisait celles qu'il voulait dire... La guerre avait amoncelé les nuages. Il raccroche le soleil et la lune. Il frappe la terre et prête l'oreille pour écouter la voix des ancêtres. Il apaise les morts. Il calme les vents, les tempêtes et les eaux. Il nettoie les sentiers ; il aplanit les sauts et les chutes ; il nivelle les campagnes, etc., etc. » (Marie de l'Incarnation).

Qu'on est alors loin de nos chiffons de papier !

Je fis un jour dans la chapelle des Ursulines et devant la magistrature du Québec un sermon où, près de ses reliques, je citais ce récit de la sainte Moniale. Mais je ne sais ce que mes propos sont devenus.

Notre théâtre si pauvre en nobles objets, si court d'inspiration, aurait, dans cette historique cérémonie du traité de paix des Trois-Rivières quelque chose de bien beau à représenter. De trop beau, peut-être, pour nos goûts et mœurs modernes.

On consultera avec profit sur l'éloquence indienne une brochure que j'avais suggéré à l'historien André Vachon de préparer.

Je suis au lac à l'Islet. Sur les plus hautes montagnes du pays de Menaud, la forêt s'éveille à peine du très long sommeil de l'hiver.

À l'époque de mon draveur, je ne craignais point de faire vingt-cinq milles en raquettes. Un jour, je faillis mourir d'épuisement dans les neiges. J'ai vécu les angoisses de Menaud, senti le frisson de la mort. Il pénètre jusqu'au cœur.

J'ai visité les lieux de ce premier camp que nous avions construit vers les années 30. Il s'est effondré sous le toit qui se voit encore. Le bâti de ces camps anciens étaient à poteaux de coins ou à queue d'aronde. On les calfatait de mousse. Les chevrons de la toiture étaient recouverts d'écorces de bouleaux, soigneusement tuilées, et sur lesquelles on posait une couche de terre retenue par des barrotins. Ces toits forestiers, ingénieux se garnissaient bientôt de mousses, devenaient chapeaux fleuris de cornouillers, de clintonies, d'épilobes...

Que de beaux jours passés là, autrefois, dans la paix avec Louis-Philippe Dufour, les guides Élie Dufour et Oscar Lavoie à Josime ; et récemment encore, avec le confrère Fidèle Coulombe, avec les très généreux amis Henri-Paul Dufour, Armand Toupin, Guy Letarte, Pierre De Blois et leurs épouses. Je montais avec eux sur la montagne du lac à Félix où sont les hauts jardins à caribous, les sentiers dentelés de blancs lichens, les petits miroirs d'eau bordés de mousses et ces bouleaux rouges, tordus et comme flagellés par les vents du nord. Dans cet altier royaume des nobles bêtes couronnées, je marchais lentement, songeur, parmi les énigmes de la vie, de l'amour et de la mort.

Certains jours de calme, je partais seul dans mon canot, et je découpais les rives, effleurant les plantes de bordure : le myrique parfumé (ou bois sent-bon), les nénuphars, les sagittaires, les rubaniers...

Et ainsi, au hasard, allait ma pensée, tantôt discursive, tantôt unifiante et finissant par rassembler les êtres dans les liens de l'admiration et d'un amour qui se prolongeait jusqu'aux extrêmes lointains de mon pays.

Que trouvais-je là, dans ces lieux sauvages ? La liberté, le puissant, l'enivrant élixir de la liberté, la saveur de la pure et sainte liberté de l'âme. Alors, les jeunes et avides poumons, ceux du corps et ceux aussi de l'intelligence se gonflaient, se dilataient si je puis dire jusque dans leurs plus fines bronchioles, comme les ramilles vitales des rameaux du printemps.

Hôte d'un pays sans autres contestations que celles des saisons ; chargé par moments du poids des êtres à exprimer, enivré d'un silence aux infinies profondeurs et d'un ordre aux infinis raffinements, d'un seul coup de ses puissantes ailes, bien au-dessus des eaux et des montagnes, s'élevait le cantique de joie de mon âme libérée.

Ceux des villes inhumaines et comprimées qui me liront... pourront-ils jamais me comprendre ? Savent-ils ce que c'est que de tourner le dos à toute vaine parole humaine, que d'assumer la solitude, que d'écouter le puissant verbe très doux qu'elle sécrète à l'âme attentive pour lui chanter l'ineffable commencement où elle peut, enfin, se retrouver elle-même parmi les splendeurs de la sainte création ?

LE CONTE DE MENAUD *

Il y avait une fois un vieil homme qui habitait un beau pays situé entre le grand fleuve et les hautes montagnes de Charlevoix. Il vivait là dans la retraite, le silence et parmi des souvenirs qui se prolongeaient, souvent, très loin dans le passé.

Beaucoup de gens, des jeunes surtout, venaient le voir pour lui demander le secret du vrai bonheur et de la vraie liberté. Et le vieil homme commençait par leur parler du fleuve, du temps, de la terre et des bois sans fin de son pays. Après quoi, il prenait avec eux, en paroles, le paisible sentier de la haute montagne, et ses propos finissaient par une prière qui s'élevait comme un bel oiseau de lumière au-dessus des vains bruits que font les hommes.

L'une de ses innocentes manies étaient d'écrire des signes. Il en avait beaucoup écrit et ne cessait d'en écrire chaque jour sur des papiers qu'il se plaisait à parsemer de pétales de fleurs, « parce que, disait-il, l'âme s'y retrouve comme dans ce jardin où furent prononcées les premières paroles humaines ».

Mais avant d'écrire, c'est tout respectueusement et longuement qu'il interrogeait les êtres, même les plus humbles. Après quoi, il essayait d'introduire dans les signes ce qui lui avait été révélé, et parfois, les idées mystérieuses ou secrets que certains êtres lui avaient confiés.

---

* Ce conte fut publié dans le Bulletin du Centre de Recherche en civilisation canadienne-française. Vol. III, no 1.

Mais tout ce travail n'allait pas sans peine ; et souvent, après beaucoup de patiences et de déceptions, le vieil homme, lassé, détruisait le lendemain ce qu'il avait écrit la veille.

Certains beaux soirs, après avoir marché, longtemps marché entre le soleil et l'ombre et dans la vérité du soleil et les vérités mystérieuses de l'ombre, le vieil homme s'asseyait paisiblement devant son feu et jonglait. C'était dans le haut pays de l'Ouabapimish-Kamagou, où il y a une rivière au cours entrecoupé d'eaux bleues et d'eaux blanches et qui raconte, en son langage, beaucoup de choses sur les hommes et beaucoup plus de choses sur les infinis mystères de la nature.

Dans ce pays de lumière et de certitude, resté tel que Dieu l'avait fait au commencement du monde, le vieil homme retrouvait l'ordre ; et cet ordre le remplissant d'une grande joie de reconnaissance, il cherchait à harmoniser le chant de son âme avec le chant de cet ordre.

Or, un soir que le vieil homme ainsi devant son feu, se murmurait à lui-même toutes sortes d'alleluias, il arriva que des jeunes gens qui cherchaient la vraie vérité et la vraie liberté s'en vinrent le voir. Car on parlait souvent, dans les écoles, de cet étrange vieil homme et des livres qu'il avait écrits.

Après les salutations d'usage, ils s'assirent respectueusement devant lui, et montrant l'un de ses livres, ils le prièrent de leur en expliquer l'origine.

Alors, après un long silence, devant son feu, le vieil homme leur parla à peu près en ces termes :

« Il n'est point facile de dire le lointain commencement des choses. Car tout commencement est petit ; mais ce petit contient le grand en germe, et ne peut guère s'expliquer que par ces mots de l'âme qui habitent un pays merveilleux, lequel est situé aux confins du silence.

« Il est bon, quand même, de vous dire qu'il y a bien des années, dans un royaume par delà le haut mont de la Basilique neigeuse, où passe la ligne du Serpent, il y avait un jeune homme comme vous qui cherchait le secret de la vraie vérité et de la vraie liberté, car c'est le plus rare et le plus précieux des trésors.

« Ce jeune homme avait fait de longues études, appris plusieurs langues, lu beaucoup de poètes d'entre ceux dont les poèmes demeureront toujours. Mais il avait eu soin de pratiquer aussi les vieux Sages des Temps anciens qui sont plus près de la vérité parce qu'ils sont plus près de Dieu ; et il ne parlait jamais de ces vieux Sages sans joindre les mains vers en haut.

« Il avait aussi pieusement lu et relu l'histoire de son pays. Il la jugeait noble, faite par de grands et saints hommes, et pleine de promesses jusqu'à ce jour où le destin de son peuple avait été, dans son premier élan, en grande partie, hélas, brisé. Et cela lui causait beaucoup de peine au cœur, beaucoup d'inquiétudes, et même, parfois, le poussait à des sentiments de révolte contre ceux qui menaçaient la liberté de sa patrie.

« Ainsi allait sa vie jusqu'au jour où, s'étant rendu porter la parole de Dieu aux draveurs de l'Ouabapimish-Kamagou, il rencontra un être extraordinaire qu'on surnommait Menaud. Ce grand homme des rivières et des bois n'avait point fréquenté les hautes écoles, mais les misères ou traverses de la dure vie qu'il avait vécue lui avaient appris beaucoup de choses, et il incarnait comme l'âme souffrante de son pays.

« Or, un soir qu'après sa dure journée de draveur, Menaud s'était replongé dans ses tristes pensées et jongleries coutumières, il se mit enfin à parler ; et comme s'il eût été, à lui seul, tout son peuple, il protesta avec véhémence devant la terre, les eaux, les bois, que c'était pour y vivre en libres maîtres et non en serviteurs que ce pays appartenait aux siens.

« Vous connaissez la suite du livre dont l'origine vous intriguait », dit le vieil homme aux jeunes qui l'écoutaient avec une affectueuse attention.

Les lourdes ombres, comme les mystères des œuvres humaines, étaient descendues sur la vallée.

Montrant alors la haute montagne que le soleil illuminait glorieusement encore et qu'en souvenir des héros d'autrefois il avait surnommée l'Acropole, il dit :

« C'est sur une montagne semblable, au-dessus des conflits et des basses passions de leur cité, que les Grecs avaient placé les mémorables souvenirs de leur patrie et les signes de la sagesse et de la liberté. »

Il raviva son feu et prononça lentement :

« C'est dans les souffrances de sa chair, dans la vraie vérité de son intelligence et dans la droiture de son cœur, qu'un très humble homme de bois de chez-nous a trouvé, comme les Anciens, la justice et la force de son cri.

« Et pour moi, ce cri de vérité et de liberté était le cri d'un être pur. C'est pourquoi j'ai voulu vous le faire entendre. »

Mais comme l'heure s'en était allée dans la grande nuit, le vieil ami de Menaud rentra dans la sérénité de ses pensées et de ses prières comme en son refuge de lumière, d'espérance et d'amour.

INDEX ONOMASTIQUE

Le chiffre **I**, en caractère gras, renvoie au volume I de *Journal et Souvenirs* paru en 1973 ; le chiffre **II**, au volume II (1975).

C

D

E

K

L

M

N

O

P

Q

V

W

Z

TABLE DES MATIÈRES

Achevé d'imprimer à Montréal par Les Presses Elite,
pour le compte des Éditions Fides,
le sixième jour du mois de mai de l'an
mil neuf cent soixante-quinze.

Dépôt légal — 2e trimestre 1975
Bibliothèque nationale du Québec